宗教のこれから

日本仏教がもつ可能性

大村英昭著

有斐閣選書

はしがき

政治不信が、実は職業政治家への不信感でありますように、昨今の宗教アレルギーも、本当のところは、職業宗教家への不信感であることが少なくありません。政治も宗教も、もとはボランティア活動であったものが、この機能分化した社会では、それらを生業（なりわい）にする、いわばプロの世界になってしまっているからです。

プロとは、いずれにせよ、各々の活動領域を〝食いもの〟にしている人のことなのですが、政治や芸術、あるいはスポーツなどをする人々にもまして、宗教を食いものにすることへの不信感は大きいようです。政治家や芸術家にもまして、宗教家には、特段の清貧が求められているからでありましょう。

でも、興味深いことに、私の所属します浄土真宗などでは、本当の信仰者はアマチュアからしか出てこない、これらの人々を「妙好人」と呼んで尊重いたします一方で、他方、「ではプロ坊主とは何か」ということについての深い洞察が、もともと有（あ）ったように思えるのです。プロの、いわば業（ごう）のようなものを「必要悪」と見る考え方がそうです。「一番あとになってしか成仏できない者」と言う人すらあります。もちろん、そこで開き直ってしまったのでは何にもなりませんが、むしろアマチュアに教えられ導かれて……という一線が守られている限り、この教団が培（つちか）った伝統（含羞（がんしゅう）と矜恃（きょうじ））は、職業政治家をはじめ、各領域のプロにとりましても、参考にしていただける点は多々あると存じます。

もっとも、本書が考えます「これからの宗教」の可能性は、プロの宗教者ではない、かえってしろうとの間に、ひっそりと息づく、より純な宗教心に見出そうとしていることは確かです。死の看（み）とりや、そのあとの葬儀および散骨につきましても、プロには依存しない、より純粋で、より自由な仕方が、それこそボランティア活動の形で模索されており、私自身、それらに大いに教えられてもきたからです。

プロの政治技術を嫌って政治不参加となれば、いよいよプロの思うつぼ。同様に、宗教へのニヒリズムは、かえって宗教屋さんの跳梁跋扈（ちょうりょうばっこ）を招くだけです。日本仏教が育（はぐく）んだ良き伝統（鎮めの文化）は、そんなに捨てたものではありません。むしろ、それを抜きにした教育のせいで、今のような、学校や家族の危機があるのではないでしょうか。意のあるところを、お汲みとりいただければ幸いです。

著　者

宗教のこれから・目次

英昭坊さん閑話

一――宗教はいま……？

1 宗教アレルギーと日本人の宗教心

――宗教を嫌がるというか、ある意味でプラスの関心もあるとは思うのですが、宗教に対するマイナスのイメージもかなり強くなっているのではないかと思うのですが、そのあたりどういうふうにお考えでしょうか。地下鉄サリンの事件から、早や一年もとっくに過ぎましたが、宗教人として、どんなふうにお考えかなと思うのです。

たしかに、宗教アレルギーというのは、あると思いますね。ただし、サリン事件が起こる起こらないにかかわらず、アレルギーみたいなものはもともとあったとも言えます。もっとも、この事件の後で、たとえば宗教法人法改正というような議論がなされて、各教団側からは、この宗教法人法の改正に積極的に賛成といった教団を私は知らないのですが……。それにもかかわらず、新聞社などの世論調査を見ますと、そういう教団に所属しない一般の方々は、たいていが改正して、もうちょっと宗教教団の行動に対して統制を加えろと言ってられるように見えます。

まず問題になるのは、税法上の恩典ですね。恩典を受けるには受けるなりのちゃんとした、たとえば経理の公開というようなことも含めてやりなさいという……。でも、もっと大きいなと思ったのは、創価学会の、とくに選挙運動に対する人びとのアレルギーが非常に強いということですよね。

ですから、必ずしもオウム真理教のすべてが影響したというよりも、日本人に何か宗教不信感といいますか、むしろ教団不信だと思いますが……があるんですね。宗教アレルギーという言葉はやや不正確で、むしろ教団アレルギーといっていいでしょうね。いま的に言えば、世界中にいろいろなカルトと呼ばれるようなものが出てまいりました。

もう一つ、いま世界的に注目されるのは、いわゆるファンダメンタリズムと言っている、原理主義と訳したり、根本主義と訳したりいたしますが、とくにアメリカ合衆国では、なお非常に大きい影響力を持っているわけです。政治運動などにも、このファンダメンタルズたちの影響力が行使されているというようなこともあります。

ああいうものと比べて、わが国を見てみますと、全体的にカルト型宗教も嫌だし、ファンダメンタリズムないし原理主義というようなものも嫌だし、というようなことが浮かんでくると思うのです。なんでかな、というようにずっと考えていったら、一つは当然かなと思う部分と、やはり日本人の宗教心があまりにもいいかげんだという面と両面あると思うのです。

◐ いいかげんな日本人の宗教心

大学の学生たちにも、よく説明するのですが、近い例で言いますと、アイルランドで昨年の暮れだったと思いますが……。私も詳しくは知りませんでしたが、アイルランドと言えば原則的にカトリックの国ですね。それで憲法条項の中に、カトリックの信条のようなものが入り込んでいて、離婚ができない、というようになっていたらしいですね。ここ十数年にわたって、フェミニズムの方々から、これについていろいろな疑義が出て、ようやく昨年暮れに、それも、ほんの僅少差で国会の議論をして、憲法条項の修正案がいちおう可決された、ということが報道されていました。憲法で離婚できない、というようなことが決められていること自体、たしかに大時代な感じがぼくらにはしますし、日本は、もっと自由でよかったね、という感じももちろんあります。

しかしそういう面と、ひるがえってわが国を考えますと、あまりにもいいかげんだと言わざるをえないところもありますよｪ。結婚というものは人生にとってとても大事だと思うのです。でも、ついこの間も私は仲人をさせられたりしましたが、多くの仲人さんたちに聞いた場合でも、たとえば神前結婚式をしてきましたとか、披露宴の席でみんなおっしゃいますよね。「いま、神前で厳かに式を終わりました」と。それであるとき、そんな仲人さんのお一人に、「どういう神様が降りてみえました」と言ったら、「さあ」とおっしゃって、「出雲の神様と違いますか」とかおっしゃるのです。イザナミ、イザナギなんかどこかへ行ってしまっているわけです。ことほど、それほどいいかげんですし、結婚する当の方々はもっといいかげんで、よく言われるにわかクリスチャンになってみたりもするわけです。

アイルランド、あるいはカトリック国の離婚禁止というものは、たしかにあまりにも偏っているようにも見えますけれども、さりとてわが国のように、こういいかげんな結婚式では、そこに厳粛な意味というのはまったくないと思うのです。

そんな意味で、わが国の宗教心というものが、少なくとも外国の人たちからすれば、あまりにもいいかげんだと。昔ある人は、これを無節操だとおっしゃったこともあります。そういう面は、たしかに認めないわけにいかないために、いわゆるセクト性、あるいは宗派性をきっちり出すとたちまち嫌がられる。今回のオウムなどもそうだし、あるいは、古くから日本でよく話題になっていたのはエホバの証人ですよね。

昔は、ものみの塔と申しておりましたが、あれが輸血をはっきり拒否しているわけです。そのために、ある人は息子さんに輸血をすれば治るとお医者さんに言われたのに、輸血を拒否したために死なせたと、とんでもない親父だということで、すごく批判されたという事件もありました。ところがよく考えると、エホバの証人というのは、第二次世界大戦期には、アメリカ本部がよろめいたのですが、あれは、もともと平和主義者で、良心的兵役拒否というものの大きなバックボーン、教義的にそういうものを持っているのです。そして、人の血を採らないということと、絶対平和主義というものとは、切っても切り離せない、非常にしっかりした教学的というか、一つの教派としての裏付けを持った議論なのです。

良心的兵役拒否のほうは、立派だ立派だと言っているのだけれども、しかし、小学校で日の丸を掲揚したら横を向いてしまうとか、あるいはいまの輸血拒否とか、そういうものについては嫌だ嫌だと、日本人はみんなそう言うのです。

宗教というものは、そんないいかげんなものではないのです。それは、みんなつながった一つのシステムなのです。ですから宗教教義というものは、こっちを採って、あっちは棄てるなんて簡単にはいかないのです。非常に鋭角的な批判性というか、鋭くとがった現実拒否というのは、大なり小なりみんな持っている。それが、本当は宗教、あるいは、とくにセクト宗教というもののセクト性であり、いま的に言えばカルト性なのだけれども、そういうものは決定的にわが国の人は嫌がりますね。

◐「たしなみ」としての宗教はいい？

ですから宗教アレルギーというよりも、そういう意味でのセクト・アレルギー、あるいは宗派アレルギー、あるいは教団宗教への忌避感と言ったほうがいいぐらいです。ただ、それが多少宗教という言葉にも影響を及ぼしていて、私は生駒で調査をしたのですが、そのときにたいへん面白い体験をしました。インタビューに応じていただいたある方なのですが、初めのアンケート調査の中の項目には、「あなたは宗教活動をいまなさっていますか」という質問があって、「はい、いいえ」と両方ありまして、その方は「いいえ」のほうに、宗教活動は何もしてないというほうに○印を付けました。

ところが、あとでよく聞いていると、生駒のある神社に、月に二度必ず早朝に参詣する、ということがわかります。ところが、彼は月に二回のこの行いは、宗教活動とは言われたくないようなのです。「では、それは何ですか」とたずねたら、「うーん」と考えて、「たしなみですがな」とおっしゃいました。そういう意味でたしなみ宗教というものはいいけれども、ぼくらが言う宗教行動とか、宗教活動という言葉を使うと、途端にそういう一種のアレルギー反応が出てくるという問題もあります。

宗教という言葉自体がそうなので、日本人の心をきちっと表現できてない言葉だ、ということも少し考えないといけないかなと、いまは思っています。昔はなんと言っていたのだろうか。信心というような言い方をしたり、浄土真宗などは、安心（あんじん）と言ったりもしています。安心獲得（ぎゃくとく）などという、安心を得ているかと。いや、ぼくは安心を得ていないとか、こういう言い方をしてきたんでしょうね。

そういうのだったらわかるのだけれども、宗教というのは、やはり外国語のレリジョンという言葉の訳語として、日本で言う信心という言葉はあてられなかったわけです。それで宗教という、もともと漢字として中国にはありますが別の意味ですから、あてたときには、もうはっきり言って造語だと言っていい。そういう造語をして、このレリジョン、欧米型の宗教というものを日本に紹介せざるをえなかった。そこに、日本人が本来考えている信仰心というのでしょうか。そういう宗教心というか、そういうものとはちょっと違う、欧米型のものは違うのだという問題が出ているんですね。

欧米型のものを考えると、先ほど来ずっと申しました、ある種の宗派性というか、そういうものをかなり強烈に主張しているのです。そういう宗派的なものが臭みとしてパッと出ると、たちまち嫌がってしまうというところが全体にあるなと私は思うのです。

――信心とか安心とかというほうの宗教的な行為というのは、いまの日本人、月に二回参拝するような方だけではなくて、広く日本人にはあるわけですか。

安心と申しますと、浄土真宗の、宗派的臭みが強く出ますから、ないと思います。でも、たしなみだったらあると思います。

●英昭坊さん閑話1　自宅の仏間で挙げる本ものの結婚式●

「本もの指向」というとき、私たちはどこかで、古いもの・伝統的なもののほうが、新しいもの・新興のものより本もののはず、そんな考え方をしています。古い暖簾、いわゆる老舗とか、蔦のはえたアイビーリーグ（名門校）とか、伝統によってつちかわれたものこそ本ものに違いない、というふうに考えます。

宗教でも、新興宗教というと、どこかうさん臭いものを感じます。学界では、だから新興宗教と呼ばず「新宗教」と呼ぶようにしているのですが、それでも私など、つい研究者に向かってもこんなことを言ってしまいます。

「君らの扱っている○○教団なんて、たかだか五〇、六〇年の間に、急に大きくなった程度の代ものじゃないか……。その点、ぼくの所属する浄土真宗は、実に七五〇年もの伝統をもっている。その間に一体、何億人の人たちが、この教えのおかげで救われていったことか……、君ら、考えてもご覧よ」と。

もっとも、こんな言い方は、神道の人たちには通用しません。彼らときたら、「日本の神道は、仏教が輸入される以前からの、それこそ民族の本当の心が映されたものだ」なんて言う始末ですからね。日本仏教は東アジアの心を模倣したもの、対する「古神道」こそ本ものの大和ごころ、なんてまるで本居宣長か平田篤胤みたいなことを言う人も少なくないのです。

お気の毒に、こんな説が江戸時代後期から流行ったおかげで、ご維新以降、それまでは仏教徒だった——三宝に帰依された——はずの天皇家までが、仏縁にめぐまれない神道の人になってしまわれました。

ところで、皆さんは、かなり以前にやっていたNHK朝の連続テレビドラマ『ぴあの』をご覧になっていたでしょうか。とくに、最終週の二、三度は目につきました。長女の初音（竹下景子）さんが、あの光男（間寛平）さんと、いよいよゴールインする、その前後のあたりがすごく良かったですよねェ。

花嫁衣裳でお父さんに別れの言葉をかわすシーン。「つき並みのことしか言えへん……」と涙をこらえる二人に、ほんとジーンときましたよね。

でも、ぼくがもっと良かったと思ったのは、そのあと、いよいよ三三九度の盃事の、あの場面でした。だって、それこそつき並みな神前結婚式のスタイルは、はっきり拒否されていたからです。実は、あの形こそ古式床しい本ものの結婚式なのです。

さすがに、大阪は西天満の旧家。でも、近くひとでに渡るんでしたよね。だからこそ、この家の仏間で、（亡きお母さんにも見てもらって）結婚式をしたい。初音さんのたっての希望で実現したスタイルでしたが、この「仏間人前」の形こそ、今、多くの人がやる借りものでない、本当の伝統儀式だったのです。

ご存知でしょうか。今、皆さんが〝古式床しい〟と勝手に思ってられる、あの神前結婚式が、実は、今世紀に入ってから、まさしく西洋のまねごととして、急にでっち上げられたものだ、ということを。まさか……、そう思われるのも無理はありませんが本当のことです。

皇室の方々が洋服を常とされる。あれも奇妙なものですが、そういう定めと同じく、あの紀子さまや雅子さまもなさった結婚の儀は、実は明治三三（一九〇〇）年に、伊藤博文らが策定した「皇室婚嫁令」に依っているわけです。そして、驚くことに、それ以前、皇室には正式な婚姻儀礼は存在しなかったのです。

後の大正天皇と公爵九条道孝四女節子さんとの婚儀が明治三三年五月一〇日に行われるのですが、明治政府は公式な定めがないために、あわてて同じ四月二五日に発布したのがその「皇室婚嫁令」だったわけです。ですから、それより早く、たとえば明治二四年に行われた閑院宮載仁親王と三条知恵子さんとの婚儀は、なんと「洋風」だったと報じられています。

「皇室婚嫁令」の策定にかかわった下田歌子さんや細川潤次郎氏らは、欧米の教会でされる――たしかに、これは神前ですネ――結婚式に倣い、これに神道風の味つけをして、なるほど〝歴史と伝統〟を感じるような式典を創ったのでした。

皇室がモデルを提供するのは今も変わりありません。大正時代になると、洋風合理化の風潮も手伝って、神前結婚式プラス料亭披露宴という今様の結婚式がしだいに庶民の間にも浸透していったのです。今の女性は欧風教会（チャペル）の結婚式にあこがれるそうですが、はっきり言って、そんな程度だから、すぐ別れる、てなことにもなるのではありませんか。

クリスチャンでもないのに、あるいは神前にのぞんで、どんな神様なのかも知らずに、誓いの言葉をおっしゃっても、それこそまねごとと言われていたし方ありますまい。まァ、初音さんの爪のアカでも煎（せん）じて飲めやと、にくまれ口の一つもたたきたくなります。

もとより、新しい伝統が発明されること自体を、直ちにけなしているのではありません。また、本ものの伝統なら、何でもよいと言っているのでもありません。大切なのは、いずれにせよ真心に違いはありません。

でも、私たちの〝ご開山聖人〟は、残念ながら、人間の側にそんな真心は期待すべくもない、とおっしゃるのです。仏さまの側から、私たちにさし向けられている慈愛の心。それに比べれば、私たちの愛情には、どこかに〝私情〟が入りこんでいる。だから、祈る時にも、仏さまから賜わった念仏よりほかに、真心を表す手だてはない、とご開山は言われます。

古来、私たちは、仏壇（いわばホーム・チャペル）のある自宅で、時々に家庭（ホーム）ミサを営むという、世界でも珍しい「祈りの風景」を育ててきた民族です。

初音さんの結婚式が良かったのは、人の情だけではない、それをも包みこんだ、もっと大きな祈りの景色が巧みに描かれていたからだ、と私は思います。

◐イチロー選手の「感謝の心」

たしなみの所で思い出すんですが、たまたま近いところで、NHKテレビでオリックスのイチロー選手と、原辰徳さんとが対談されていましたので、かなり長時間二人の顔を見ていました。たまたま原さんのほうから、いま、プロ野球選手としてすごく成功されているイチローさんを支えているものは、自分ではどういうものだと思っているの、というおたずねをされたのです。

なんとそのときにイチロー選手のほうから、「感謝の心だ」と、軽くおっしゃっているのですが、ちょっと説明されて、いまの自分をつくってくれた、いろいろな人のおかげでいまのぼくがあるんだと、そういう気持ちはいつも持っていると。そういう意味で感謝する心というのがとても大事ではないか、というような意味のことをおっしゃいました。

これがそうなんだと。先ほどから言っておりますように、宗派的な主張をかなり強く押し出してくるような宗教は日本人は嫌いだけれども、何かこんな感じでたしなみとか、おかげを喜ぶとか、あるいは感謝するとか、そういう意味では、広い意味での宗教心をかなり強く持っていると思います。それは、イチロー選手に代表されるような現代の、いまの若い世代にまで、何もお年寄りのたしなみという意味でおっしゃっているお年寄りの心だけではなくて、若い人にもあるのではないかと思います。

——前のところに戻って恐縮なのですが、宗教というのは鋭いものを持っていると。私も、アイルランドの話をされたときに思い出したのですが、アメリカで植物人間の女性が、入院中にレイプされて妊娠してしまったと。今度の五月ぐらいが出産予定らしいのですが、その子どもをどうするかということで、本人は植物状態で判断できませんが、彼女の両親が出産させるという選択をしているのです。

それはどうしてかというと、その家族がそうなのだと思うし、だから植物人間の本人もそうだと思うのですが、カトリックなのです。カトリックだから、中絶は絶対に禁止されているし、彼女自身も友達に、私は絶対に中絶反対だと言っていたからということで、すごいつらい決心だと思うのですが、産むということを両親が選択されているのです。

それを読んだときに、私は宗教というのは嫌だな、怖いなというふうに思ったのです。不愉快と言ったほうがはっきりすると思うのですが、だから宗教って嫌なんだよね、という気分に陥ったのです。カトリックなどは非常にわかりやすい例で、それが、すごく鮮明に出てくるような気がするのです。振り返ってみると、日本の既成宗教などの場合には、そういう行動とか、思想とかを固く縛るようなものというのはないんですか。

◐ 禁欲と聖婚の意識

そこは、けっこうむずかしい問題が背後にありますね。おっしゃっているカトリックのほうでいくと、要は性（セックス）というのは生殖でないといけない。つまり、子どもに結びつかないといけない。そして、それ以外の快楽としてのセックスは禁欲するというか、この感覚がなぜか知りませんが非常に強いのですね。それが、ずっと教義的に整理されて、いまおっしゃるように、日本人などから見ると、非常に不思議な、あるいは嫌味な考え方をも生み出してきたのでしょう。

この話をきちっとしようとしますと、もともと禁欲の形がインド＝ヨーロッパ語族とぼくら東北アジアではすごく違う、というあたりにまで話を広げねばなりません。彼らの感じ方でいいますと、セックスというものを聖なるものにしようとしているのです。普通の人間の生活世界の単なる延長上のものではない。先ほども申しましたように、子どもが生まれるセックスだけを認めるというような意味で、それは神の定めだというか、何かそこへ閉じ込めようとしていると思うのです。ところが、日本人の感覚で言って、それはまったくない。

つまり、『源氏物語』などを見て気がついたのですが、性の禁止状態というか、セックスが禁止される状態の期間というのが日本人にはほとんどないですよねェ。もともと、男女ともにセックスの可能年齢というのがありますね。フロイトが説明するように、しばらく男の子というのはできないではないですか。成長してきて、やっとセックスというのはできるわけです。ところが可能になっているにもかかわらず、それをグッと抑える、という感じが古い日本では見えないのです。可能になったら、すぐにやってるって感じです。

だから、性をタブー視するということも、逆にないのです。もちろん、日本に仏教が入ってくると、その中にはインド以来の女犯戒と言いますか、欧米に近い感覚が紛れ込んでいます。ですから、やがて女人禁制的な仏教になったりもたしかにしています。

ところが、たとえば西行などという、つまり世捨てのロマンに生きた人を想ってください。欧米のキリスト教などで言うと、カトリックでも、いわば世を捨てて修道院へ入られる。そうすると、いかにも固い、セックスだけではなくて花鳥風月への人間らしい感受性、広やかな感受性みたいなものもみんな悪として、あるいは、うた心のようなセンスまでも人間を堕落させるものだのように、何でもかんでも禁圧する所があります。

◐ 禁欲と「鎮欲」

ところが、西行さんなどは、出家する前に、まず第一に十分セックスはしているはずですし、ある意味で堪能してしまっているのではないですか。堪能してしまっているというより、もともと禁止されている状態がないのですから何でもないのです。

次に、出家してからでも、歌などを見ていると、世捨人にしては、非常になまめかしい感じです。もちろん、西行さんは恋愛沙汰があったりして、その点で悩まれたはずなのだけれども、しかし、少なくとも欧米型の禁欲者にはなってないと思うのです。この世への未練というか、花鳥風月への感受性の鋭さなどというのは存分に残しておられますよね。

もっと時代が下って、仏教的に禁欲主義というものが、禅などの完成の中で、かなりリジッドに入ってきてから以降でも、たとえば一休宗純などを見ていますと、たいへんな禅の達人なのだけれども、しかし、にもかかわらず性をタブー視している所はまったくない、むしろ逆ですよね。謳歌されているようにすら見えます。セックスを通して、救済というか、禅の悟りを、それを通して眺めていられるぐらいにすごみがあります。もちろん、花鳥風月への思いも深い。また時代をもっと降りますけれども、良寛などになっても、貞信尼という女性との交情が、きれいに伝えられていますよね。

古典仏教にはあったものも、日本に入って日本仏教になるときに、ずいぶん変質していきます。セックスの問題などで言えば、欧米の方から見たらいいかげんだと思われるほど、戒のとらえ方なんかも違ってくるんでしょう。あんなものは禁欲とは言わない、と思われるほどにおおらかになる。そこが、日本人の感受性の面白さだと思うのです。ですからぼくは、禁欲ではなくて鎮欲だと、あえて別の造語をせざるをえないと言ったのです。そういう問題が一つあると思います。

◐人間中心か神中心か

ついでに申しますと、先ほどの、なんで嫌だなと思われたかというと、やはり生きている人間をもっと大事にすべきだという思いがあるんですよねェ。神がどうのこうのではなくて、もっとヒューマニズムで考えられるべきだと……。これは、欧米のカトリックに限らず、キリスト教もイスラム教もそうだと思います。いちばん深い所に、われわれが普通一般に考えるヒューマニズム（人間中心主義）に反するものが隠れ潜んでいるからなのです。

ユダヤ＝キリスト教は、イスラム教もそうですが、本当は神中心主義なのです。だんだん近代になって、世俗的なヒューマニズムが強くなってきますから、しだいに妥協していくのですけれども、本当はそうではないのです。神の正義のためだったら人を殺してもいいのです。基本的にはそうです。その感じを残しています。

戦争のときに、たとえばいちばん近い所では湾岸戦争などを見たらわかりますが、神の正義だからと言って兵隊さんが人殺しに行くわけです。これは、イラク側もそのように思っているわけです。つまり、神の正義だと。神の正義を貫くためには人を殺してもいい、という論理が成り立っているわけです。そこが、宗教の怖さだと思います。それが、嫌だなという感じになるのでしょう。ところが日本仏教は、先ほど来申しております、禁欲ではなく鎮欲だということも含めて、ずいぶん早くからヒューマニズムに傾斜していくんです。土壌として豊かなヒューマニズムがあり、ヒューマニズムに反する宗教は、断固受け入れなかったのだと言ってもいいと思います。

●英昭坊さん閑話2　父のためにお百度を●

生駒周辺に集まってくる、いわゆる俗信の信者たち、彼らと語り合って一番痛切に思ったこと。それは、むしろわれわれ〝常人〟がつくっているこの社会の〝冷たさ〟であった。彼らは、まるで逃げるようにしてこのあたりに群がってくる。ここへくれば、せめても自分の苦衷を聞いてくれるひとがいるのであろう。自分の幸せを祈願しているひとはほとんどいない。そうではなくて、子どもが、親が、障害に苦しみ、ガンに苦しんでいるからこそ、何とかしたい一心なのだ。冷たい病院、同情するそぶりだけの親族、そして逮夜参りだけで「忙しい、忙しい」の坊さん。そんなうらみを吐きだすように言うひとも多い。酷寒の水ごりも、炎暑下のお百度踏みも、そんなに楽なものではない。おまけに調査対象者の大部分が、こんな行によっても、あのひとが治り、あのひとが楽になるなどとは信じていない。

「〝悪あがき〟だとは思うんですが……」と恥ずかしそうな顔のひとまでいる。それでも、何かをせずにはおれないからやっているのだ。

私の父もガンで逝ったのだが、当時のこんなエピソードを想いだす。ガンで入院していることは、門徒衆には知らせていなかった。それでも、家族の顔色などから察しておられたのであろう。死期の迫っていたある暑い夏の日。お寺に見えたおばあさんは「ご院さんに治っていただきたい一心で、お百度を踏んできました」と言われる。この暑いさ中に、何度も遠い〝石切さん〟まで通ってくださっていたのである。「ご院さんに知れたら、いつもの調子でえらい怒られまっさかい、内緒でっせ……」と。得度したばかりだった私は、出て行かれるおばあさんの後ろ姿に、ただ手を合わせるほかはなかった。

このおばあさんも今度は自分がガンで亡くなるときがやってきた。「今日か、明日か」と宣告された日に「どうしても、ご院さんにお会いしたい」とおっしゃってくださったらしい。私にとっては、初めての臨終説法のはずであった。でも何も言えない。瀕死の方が、か細い声で「迷惑のかけ通しで……。あいすまんことでした……」と、そう言われたのである。

（昭和五九年ごろ）

◐法華経の日本的受容

ちょっと話が広がりすぎてしまいますが、この本の中でも、これからの大きな課題になっている点なので、ちょっと示唆だけしておきます。日本仏教を考えたときに、中心になるのは、やはり法華経だと思うのです。日本へ仏教を誰が入れたか、導入したのは聖徳太子だと、これは定説として認めていいと思います。蘇我一族と聖徳太子のコンビが、物部守屋の一族を追い落として、その追い落とすときに仏教というものが入って、例の一七条憲法などというのを作っていかれました。あれは、大乗経典の中でも、とくに法華経の精神を導入されたんだといって、そうまちがいはないと思います。

やがて浄土真宗は、あるいは浄土教団というものができますと、法華経から分かれますよね。同じ阿弥陀如来、観音などは大事にしているのですけれども、救い主としての阿弥陀如来を立てているのですけれども、法華経から切り離しまして、浄土教団として独立させていくわけです。でも、もともとの出自というか、元を考えますと、あれも天台比叡なのです。天台比叡山は現在もそうですが、法華経によって立つ教団なのです。日本の聖徳太子以来のもっとも正統を現在で言えば、比叡山天台宗ということになります。

法華経が日本に入ったときに、ヒューマニズムにのっとって力点変更が起こる。法華経には、捨身供養などという話がたくさん入っています。古くベトナム戦争のときでしたか、お坊様が焼身自殺されました。あれは、自分の身を焼く捨身の行ですが……。本来は仏様を称えるために、自分の体を灯明にする、日本で言えば蠟燭ですが、そういう伝統です。自分の身の脂を灯し火に使ってでも、仏様に奉仕しなさいと。こういうセンスは、実は法華経の中に入っています。

ところが、先ほどから申しておりますように、日本には聖徳太子以来受け入れられているのですが、それが知らず知らずヒューマニズムのほうに傾斜していくのです。もう一つ大きな特徴は、この法華経が女人成仏を強く押し出しておりますが。ここが、日本では大事なポイントにもなっていきます。

日本で、先ほど来言っている、いいかげんなと言うか、ワーッと広がっている拡散宗教としてのたしなみ心、これもありますが、一方で、もしセクト宗教と言えるもの、キリスト教団に匹敵するようなセクト型の宗教を探せば、大きく二つの流れがあったと思います。一つが日蓮、一つが親鸞、この二つは、日本では珍しくセクト型宗教です。かなり強い主張を持っていますし、鋭く自分を押し出していきます。だから、場合によれば時の政権と激しくわたり合うというようなこともやりかねない、ある種の怖さを持った宗教です。これは、日蓮と親鸞という強烈な個性が、おのおの、カリスマ崇拝の対象になってきたからだとも考えられます。

わが浄土真宗で見ましてもご開山、親鸞、この方を阿弥陀如来と同一視しているわけです。いま、本願寺へお参りになれば、たしかに、一方に本尊阿弥陀如来というのがおられるお堂があります。ところが、その左側にあるもっと立派な建物が御影（ごえい）堂と言って、東本願寺では御影（みえい）堂とおっしゃいますが、ここには親鸞の木像が置いてあるわけでしょう。そして、ほとんどの行事は、本尊阿弥陀如来の前ではなくて、親鸞木像の前でなされている。これは、阿弥陀如来信仰がそのまま親鸞信仰になっているわけですが、同型のものが日蓮宗です。

法華信仰という以上に、日蓮聖人信仰が前面に出ています。創価学会にまでずっと受け継がれたものだと思います。人が神になるというか、そういうかたちで、非常に押し出しの強いセクト型宗教ができて、現在にまでつながっている。

ちょっと強調しておきたいことは、セクト型宗教であるけれども、この二つともが、とくに女性を大事にしています。親鸞のほうは、はっきり肉食妻帯（にくじきさいたい）して、先ほど来問題になっている禁欲、アンチ・ヒューマンな禁欲主義ははっきり否定してしまいますよね。

日蓮宗では、いちおう僧侶は、そこまではっきりは言いませんけれども、それでも日蓮の書簡などを見ますと、女人往生ということについては、彼は非常に鋭いセンスを持っていて、それが大きな魅力になっています。私は、日蓮さんのお書きになるものは、教義論よりもお手紙がいいと思うのです。とくに女性信者と言いますか、そういう人たちを慰める、未亡人になった方を慰めるときのお手紙とか、そういうものがすごくいいと思うのですが、強調されるのが、この女人往生なのです。

そんな意味で、女性への思いがこの時代あたりから非常に深くなりました。ですから、セクト宗教と言えども、ちょっと欧米的な神中心主義というのよりも、やはり人道主義的に曲がっているのです。ただ、そのためにたぶんキリスト教の方々から見れば、坊さんまであんなことをしてという、あれじゃあ俗人と変わらないではないかと思われてしまう。見ようによれば、あるいいかげんさというふうにも見えるかもしれませんが、そこが日本宗教のいいところだと私は思います。

セクト宗教においてすらそうですから、ましていわんやということで、一般的な日本人の宗教心というのは、欧米人には不思議なものに見えると思いますね。教団の外側にある宗教心と言いますか、先ほども言いましたように、そういうのは、宗教という言葉を当てること自体だって嫌がるほどのものだと思うのですが……、でも、宗教学的には、宗教心と言わざるをえませんので、それに別の言葉を当てざるをえませんので、私は拡散宗教と呼びます。

◐ 教団の外部に広がる拡散宗教（diffused religion）

ひと昔前、タルコット・パーソンズという社会学者が、スペシフィックという言葉、これは特定の、とでも訳すのでしょうか、それと対照させた言葉でディフューズドという言葉を使われました。ディフューズドというのは、ボヤーッと広がっているものだと思います。そういうディフューズドに、教団の外側でボーッと広がっている。ここをきちっと見ないと、日本宗教のよさはわからないぐらいに、だんだんなってきているんだと思います。

現在は若い方もそうで、西山茂氏が昔、若い人の宗教を言うときに、「教団嫌いの神秘好き」というように一言でおっしゃっていますが、ある部分では当たっています。読んでいる劇画などを見ると、ずいぶんオカルトがいっぱい入り込んでいます。そうかといって、教団へ入っていくかというと、それは嫌なのです。そういうところを、たいへん上手に表現されたと思います。

しかし、この点は若い人には限らないと思います。いまは、日本人全体が宗教アレルギーになっていて、教団宗教は嫌だけれども、しかし、何かもっとあるではないか、というような感じを持っておられるのだと思います。現実に、これは政教分離の政策という、戦後日本憲法の条項による規定もございまして、いまは原爆慰霊祭、原爆忌も、それから戦没者慰霊祭も、建前では宗教抜きということになっていますね。でも慰霊祭なのですから、宗教学的に言えば、宗教抜きで慰霊はできないと言わざるをえないのです。だけれども、あくまでも政教分離政策に合致させるためには、宗教抜きということにならざるをえません。

でもいかがでしょうか、表向きそういう宗教抜きのゆえに、かえって人びとは、教団宗教では味わえない、教団宗教へ行ったときとは違う、もっと純な宗教心を結構味わっておられるのではないでしょうか……。

それは、ある意味で新しい日本宗教だ、と言ってもいいぐらいなのです。具体的に抜かれているのは宗教そのものではなくて、繰り返し申しますように、教団宗教、あるいはセクト宗教が抜かれているだけなのです。そして、それを抜くことによって、かえって日本人の心の奥底にある真の宗教心が、きれいに表現されているという面があります。

この間、セクト宗教はずいぶん宣伝もしています。オウム真理教だけではないわけです。われわれが大阪大学で見ていても、ずいぶんたくさんの宗教セクトが、昔の政治セクトに代わっていろいろな勧誘活動をやっているわけです。だけれども、たいていの人は行かないです。オウム真理教に行った、あるいは統一原理に行ったと、みなさんいろいろ心配されますが、全体趨勢から見ればごくごく少数なはずです。

ところが、劇画などを見られたほうが、よほど心配されなければいけないのです。劇画の中では、非常にオカルト的なものがはびこっています。でも、教団宗教へ行く人はあくまで例外です。

◐ なぜキリスト教は広まらないか

それで、大部分の人が行かない理由は、先ほどから言っていますように、教団宗教でないもの、もっと奥にある日本人の集合意識がそうさせているのです。これをひるがえって考えますと、戦国時代に、キリスト教が日本へ入ってきました。あのときはカトリックで、ここも、いまの日本の方はいいかげんだから、カトリックとプロテスタントの区別もつきませんし、本当はちゃんと説明しないといけないのだと思うのですが……。戦国時代に入ってきたのは、全部カトリックの修道会の方々です。ザビエルという方を代表にして、相当広がろうとしたのです。もちろん、その後に江戸幕府が弾圧したということもあるでしょうが、要は、さほど広がらなかった。百歩譲って弾圧したからだ、江戸時代三百年の間、ずっと禁止していたからだとしましょう。

それでは、開けてから明治維新政府は、さすがに門戸を閉じておけなかったから、それでふたたび入ってきます。そのときは、圧倒的にアメリカの教派ですからプロテスタンティズムです。これが、ドーッと入ってきました。ご承知のように、教育分野では、すごい投資を伴って入ってきました。同じことを、ここ数十年韓国に対してキリスト教会はさかんにしたわけです。おかげで韓国はずいぶんキリスト教化されています。人口のかなりのパーセントは、新旧両方の教会メンバーになっています。

そういう問題について従来よく言われたのは先祖崇拝の強い国へは、キリスト教は入れないと言われたのです。でも、これをものの見事に覆したのが、いまの韓国です。強い先祖崇拝の国なのですが、それにもかかわらずキリスト教はまんまと入れた。ところが日本には入れない。結局日本は、いまでも一〇〇万人以下です。本当の教会メンバーという意味で言えば、新旧合わせましてもそんな程度ですから、人口の一%にもならない。ところが、考えたらすごい投資をしたわりに、これだというので、私が知っている範囲では、ローマ・カトリック教会は、ほぼ諦めているようにすら見えます。

かなり優れた神父様をたくさん知っているのですが、みんな韓国とか、新たに中国大陸へ顔を向けていまして、日本は諦められたなと思っているぐらいです。それはなぜかというと、やはり日本は韓国以上に、つまり祖先崇拝という意味では同じなのだけれども、おそらく韓国以上にセクト宗教の鋭角性を嫌がっている。そして、一般的なヒューマニズムというか、あるいは「日本教」の伝統をむしろ大切にしてきたからでしょう。

日本仏教は、そのヒューマニズムにうまく乗せましたので、セクト宗教ですら、そのヒューマニズムと齟齬する部分が少ない。だから違和感があまりないのです。しかも一方で、セクト宗教としてのある鋭さは、日蓮宗とか、浄土真宗は持っていますから、こういうものが、いわば防波堤になった、という面もあると思います。

◐遠藤周作のカトリック理解

たとえば遠藤周作さんの一連のお仕事。『沈黙』とか『深い河』とか、あれは日本化されたカトリックというか、あれなら違和感はないわけですよね。日本人はみんな好きでしょう……、きっと。

あるいは遠藤さんは、先ほど来言っていますように、法華経というようなものを、きちっとお読みになっていたら、『沈黙』で書かれたテーマは、意外に法華経的なものだと思われたかもしれません。たとえば法華経に学んだ宮沢賢治あたりを思ってくださってもいい。つまり、遠藤さんほどのセンスをお持ちならば、もし、ちゃんと法華経をご覧になっていれば、宮沢賢治的な世界へ行かれた可能性も高いわけです。でも、公教育では日本の伝統仏教というようなものをちゃんと教えませんので、その穴をカトリックに借りて表現されてきたようなものだと思います。

ですから、カトリック教会の神父などには、日本のことがよくわかられる方に聞きましても、自分らから見れば遠藤さんのおっしゃっていることは、ちょっと疑問があるというようなことを言われる方も多いです。最近、笠原芳光先生、この方はプロテスタントの方ですが、何度か対談する機会を得ましてしゃべっていたら、やはり教会側の信仰のすすめとは合わないみたいなんですね。つまり、一所懸命キリスト教に入ろうとしたのだけれども、どこかついていけないのだそうです。それで、彼の言い方をすれば、「ぼくもキリ抜けました」とおっしゃるのです。その前は、「大村君、あかぬけしたんでしょう」とおっしゃいました。アカ抜けって何かなと思ったら、マルクス主義から脱出できた。それで、今度はキリスト教からも脱出できたという意味で、キリ抜けたとおっしゃるのです。

なぜキリ抜けなければいけないかというと、日本的ヒューマニズムとどこか齟齬するところがあるからだと、ぼくは思うのです。だから、遠藤周作さん型のキリスト教だったら、笠原さんも、あれはわかるとおっしゃるのです。でも、あれは違うともおっしゃっているのです。とくにプロテスタントでは、認められませんから、遠藤さんのと、世界のクリスチャンの信仰とは違うよと。遠藤さんは、神というのは世界を創造した神ではない、そんな強い神がぼくの神でないとおっしゃっていますね。私の神は弱い神だ。ただ、私に添って泣いてくれる神だとまでおっしゃっています。では、これなら、むしろ観音様じゃないでしょうか……。

そういうものだったら、法華経の世界にはいくらでもあるのです。神はむしろ、自分を裏切るような弱い人間のそばにいる。その弱さに泣く奴こそ、神は救ってやりたいと思っている……。これでは、むしろ法然教団が「悪人正機」の説で言っていることとも同じではないでしょうか……。

2 若者たちと宗教

——ちょっと、こだわって恐縮なのですが、オウムとかそういう所へ行くのはごく少数で、限られた人で、先生はあまり心配ない、というような言い方をされたかなと思うのです。ただ私たちは、あの当時非常にショックを受けたのは、優秀な科学者とか、物理学者とか、そういう近代科学の洗礼を受けた若者たちが、カルト宗教というんですか、すごい強い主張を持っている、ああいう先鋭な所へ行ったということがすごいショックなのです。いまの先生のお話と重ね合わせると、たとえば、いままでの日本の宗教というのはヒューマニズムでしたか……。

ええ、人間中心主義、人間尊重主義だと思いますよ。

——そうですね、神とは違う人間中心主義。

そもそも、人間の持っている、本能的なものも含めてですね。キリスト教から見れば汚れたもの、仏教用語を使えば煩悩ですが、そういうものですら拒否しない。それを、禁圧したり押さえ込むのではなくて、むしろ煩悩があるから救われるのだという具合にもっていく、煩悩がなかったら、そもそも人間は生きていないよという、ここをちゃんとおさえたうえで言うことですよね。

◐オウムにはしった知性って

——オウムとか、そういう所へ行った人たちというのは、では、日本のヒューマニズム、人間中心主義への反感とか批判というのがあったんでしょうか。

一部の人間を殺してでも環境を守ろう、といった危機感にそれがあらわれてますね。

——そこのところを合わせて、彼らのことをどういうふうにお考えになりますか。

まず、私は大阪大学で教えている人間ですから、殺された村井さんという最高幹部も含めて、大阪大学出身の人だと聞いて、とりわけ責任が重いなと思いました。という意味は、何を教えていたんだろうかと。事実言われました。ほかの出家信者の中に阪大卒というのが結構いるぞとか、阪大の学生がいるぞとかだいぶ言われまして、大阪大学はいったい何を教えているんだと言われたこともあります。

ただ、とくに理科系の人が多いものですから、とくに村井さんは理学部ですから、その理学部あたりから、いまおっしゃった危惧が、ちょっと別の形ですけれども出てきています。理科系の諸先生方がおっしゃるのだから勘でおっしゃっているのですけれども、日本人の資質として、ほとんど遺伝情報みたいになって入っているはずの文化伝統みたいなものが、あの人たちを見ていると、全然ないみたいだ……、そういう驚きなんですね。

大阪大学も含めて、よその大学もみんなそうなんですが、教養部をつぶして、それで早く早く、高度な技術教育をとやってるんです。教養部みたいなのは要らないと。それこそ、とんがった技術者を速成で養成したい。そのために、とにかく一般教養を外して一年生から、もっと専門科目だけでいきたい。

◐「教養」ぬきの技術教育のこわさ

理科系の諸先生方はたいていそうおっしゃっていたのですけれども、今回の事件のおかげで、「やっぱりいかんわ」と言い出されたわけですね。それでぼくは、いつも言っているじゃないですか、「教養のない大学になったら、やっぱり危ないですよ」と。

もう一つ、先端技術というものがマニュアル化されているんですね。理学部で言いますと、ライフ・サイエンスなどを専攻した学生で言うと大学院修士段階で、早くも遺伝子操作すらできるようになります。あるいは、よく言われるように原子爆弾などというのも、修士ぐらいの知識で作れると言うのです。というのは、マニュアル化されているからです。いまは、先端技術でもすぐにマニュアル化されていきますから、中間はわからなくても、先端はわかるというよりも、操作はできるのです。技術的処理は可能なのです。

ところが、基礎体力みたいなところで、科学というのがヒューマニズムを土台にしないといけないという肝心なところは身につけてない。ヒューマニズムを背景にしてこそ、日本にこうやって科学が根付いてきたわけです。矛盾しないで、日本的ヒューマニズムとうまく合致しながらね。ちょうど日本仏教を取り入れたときと同じなのです。あれだって、実は先端文化を、聖徳太子にしてみたら、進んだ先端文化を取り込まれたわけですよね。そして、それを日本的な固有のヒューマニズムの上へうまく持ってきたのが、日本の仏教者たちの営々たる努力だったと思います。

同じことで、科学だって、できるだけ日本のそういうヒューマニズムにうまく乗る範囲で持ち込んできたはずなのです。少なくとも学者の側はみんな努力してこられたと思うのです。けれども、先端だけがマニュアル化されてしまって、根っこの部分を学ばなくてもいいようになってきたわけです。

それで、あらためて教養が大切なんて話になるのですが……。私の理解では、よき科学者であるがゆえに、逆に馬が脇道にそれないように目隠ししてピューッとある直線に向かって猪突猛進する。それをよくやった人ほど、いわば先端へ行けるだけの技術力は身に付けていかれたという、そういうことの、ある意味で悲劇が起こってしまったのだということで、いまわれわれというか、教育者側で、たしかに心配はいたしております。もう一つは先ほど来申しておりますように、劇画がいまのそういう坊やたちの基本的な教養になっている点も問題でしょうね。

◐オカルト・ブームの影響

——たとえば、劇画ってどのようなものですか。

霊界ものとか、あるいは前世ものとか。前世物語などは、もう当たり前みたいになっていますよ。前世は何だったのだろうかと……。もっともこれは、裏打ちがあるんです。遺伝子情報が解明されて、私たちのいのちが四〇億年連続していると科学者が言いますからね。たとえば、NHKなどでいろいろ先端科学を使った、きれいな番組を作っています。地球の成り立ちとか、いのちのもとをたずねてとか、そういう感じの番組がたくさんありますでしょう。どれでもみなおっしゃっているのは、ぼくらの一つひとつの細胞が、実は四〇億年の長い長いいのちの連鎖性の中にあるのだと……。こう聞けば前世があったに違いないと思ってもおかしくはないわけでしょう。

　実は、ぼくだって学生さんによく言うんですよ。「忘れたって、なあ、思い出せないけど、たしかに一〇億年ぐらい前はね、みんな俺らはアンモン貝だったらしいぜ。覚えてないよな」って言ったら、みんな真顔で、「そうですね、覚えていませんけれども、でも確かみたいですね」。「そうなんだよな、だから前世はまちがいなくあったよな」「そうみたいですね」みたいな感じで、ぼくもしばしば利用いたしますほどに、そんなのは当たり前なのです。仏教では、多くの釈迦前世物語（ジャータカ）がありますが……。

　前世があるということは、当然後世もあるのではないか。つまり、死後の世界もあるのではないかということにもなりませんか……。現実にアンケート調査をやっていると、死後の世界についてはここ一五年、ぼくではないのですけれども、大阪市大の金児暁嗣先生が大阪市立大学でデータを集めておられます。ここ一五年でも、死んだ後、たとえば霊界でもいいですし、あるいは死後の世界でも表現はどっちでもいいのですけれども、あると思うかと、肯定回答の「イエス」

というのが増えています。いかがですか、われわれの世代は、死んだらゴミになるだけ、という教育を受けたわけですよね。

「死んだらゴミになるだけ」の限界というか、そういうものも一方でいま出ています。そして、若い方々がそういう意味での、やや特殊な神秘主義の世界へ行くというのは一種の反抗だと思うのです。もっとも、そのベースには、やや劇画的な、オカルト・ブームというか、そういうものに悪影響されている部分もあるだろうし、ここが、むずかしいところだと思います。

◐「死んだらゴミになるだけ」か

ただ、ご質問の趣旨を真摯に受けとめれば、先ほど言いました「死んだらゴミになるだけ」という、これはまた強烈な世俗主義、もっと言えば唯物論でしょうが、ここの弱点をじっくり考える必要もあるでしょうね。いま広く日本人が反省しているところも、そのあたりではないでしょうか。

そこが、やはり宗教が要るところなのだと。信仰みたいなものはないと言っても、つまりアレルギーと言っても、教団宗教を嫌がっているのであって、さりとて「死んだらゴミになるだけ」の議論には満足できない。その部分が、いわゆるたしなみ型の宗教に、なんとなく人びとが引かれていっている理由でもあるわけです。

――だから、お墓とかというのは、すごく問題になったりしますよね。それから、すごく先端を行く女性が、死んでからも夫と一緒の墓は嫌だと言うのです。あれは、絶対に死後を信じているからですよね。

そういうことですね。もっと言われるのが自然葬、散骨ですよね。あれは、本当は自然葬と言ってはいけないと思うのです。自然葬というのは、昔、土葬とか、林葬とか、鳥葬とか林の中に放っておくとか、それが本来自然葬です。フランスでそれに気がついたのです。自然葬という言葉を使ったら、「自然葬ってなんですか」と。それで、散骨のことをぼくは説明したのです。日本でこういう運動が起こってきていると。そうしたら、「それは自然葬じゃないではないですか。火葬しているんでしょう」と言うから、「あっ、それはそうだ」と気づきました。

というのも、日本人にとっては、火葬は当たり前みたいに思っていますが、ヨーロッパへ行かれたらびっくりされるはずです。いま、フランスでやっと三〇%ぐらいが火葬になってきました。政府がやいのやいの言ってこれなのです。世界中どこでもそうです。だから、火葬は決して自然とは受けとめられない。その上で、とにかく日本では自然葬とおっしゃるのですけれども、散骨されますでしょう。あれだって、「死んだらゴミになるだけ」だったら、あれはしないですよ。やはり、故人の思い出の場所でお骨を撒いてほしいと。やはり、それは何か考えている証拠ですよね。

世俗的なものの感じ方でいけば、やはり唯物論になるのです。ということは、「死んだらゴミになるだけ」なのですが……、でも、こんなのは特殊な人の意見であって、ほとんどの日本人はそういう感じ方をしないのです。

ところが戦後教育のある時代、ぼくらが受けた教育ですけれども、こればかりは、どうも唯物論的だったですね。とくに学者・文化人の間に、あれほどマルクス主義がはやったのも、あの時代の日本だけではないですかねェ……。ある時期にすごく受け入れたでしょう。世界的には、これが受け入れられなかったのは、要は、唯物論が世界的には受け入れられなかったということです。スピリチュアリティという、人間の存在というのは霊的なものを含んでいる。それは、いま生存しているわずか一〇〇年、この間だけのものではなくて、その前後にものすごく長い歴史があるんだという、そういう霊性の無窮性みたいなものは誰しも言わず語らず感じとっているんだと思います。

● 英昭（えいしょう）坊さん閑話3　煽る教育と鎮まらない精神と ●

大学院を了えて、初めて教職に就いたころは、学園紛争のまっただ中。それがいまではどうだろう。あの長髪・ヘルメットのもさたちに比べて、いかにも小ざっぱりした坊やたちが、教室にあふれている。こちらが教えるふりをしている限り、むこうもわかったふりでおとなしく聞いている。大学キャンパスのこの平穏無事とは対照的に、新聞紙上には、中学生暴力や陰湿ないじめのニュースがひきもきらない。ご苦労しておられる中学校の先生方から、「大学はいいですね」と皮肉まじりに言われれば、「新左翼が出てきた頃は、こちらがエライ目に会っていたんですから」とやり返す。それにつけても、「教育って何だろうか……」。

いかに世俗化が進もうと、実は、宗教なしには、どんな共同体もありえないんだ、ということが近頃になってようやく自覚されてきた。ちょうど、同じことで、実は宗教抜きの教育なんてありえないのではないか……。ということが、痛切に実感される今日このごろである。仮に、「制度宗教」によるはっきりした信仰ではなかったにせよ、すぐれた師匠は、いずれの分野にあっても、自然のいわばリズムを畏敬する「見えない宗教」を持っていたように見える。この宗教的心情を伝授していくことが、とりもなおさず、若者に対するもっとも良き教育ではなかったのか。世阿弥はしばしば『荘子』を引用して、「鴨の足は短くも、これを継げば歎くであろう。鶴の足は長くとも、これを切れば悲しむであろう」と言ったと伝える。

少年たちの野心を煽ることは、誰にでもできる。だが、若者に向かって「諦めろ」と言うのは、身を切られるほどにつらい。それでも、教育とは、いつの時代にも、己れの分際を自覚させ、それこそ「等身大」の生きがいを見出していけるよう、彼らに助言してやることではなかったか……。自然を畏敬するこころと、諦めることとがほとんど同義であることは、「諦観」という仏教語にはよく示されている。はたしていまの教育者たちに、このつらい役割を引き受けるどんな覚悟（↓信仰）があるだろうか。

「煽る教育」の末路は、いずれにせよ、不遜と横着と暴力とに行きつくほか、別のありようはないように見える。

（昭和五五年ごろ）

3　宗教プロはうさんくさい？

——今度はプロフェッショナルのところへ入らせていただきます。もう一度、とくにプロ宗教者のうさんくささみたいなものを考えてみたいのですが……。

一つはセクト性とか、宗派性とかと言っていたものなのですが、それは組織の臭みと言ってもいいものでしょう。もう一つはプロフェッショナルの問題ですね。現代社会の大きな特徴というのは、機能分化した社会ですよねェ。それで昔だったら目立たない、各分野のプロ性がすごく目につくようになります。機能分化しているというのは、芸術も、科学も、宗教も、もちろん商売もみんなそうですが、職業としても専門世界というものをつくっているわけです。

◐機能分化した社会の宗教プロ

古くは宗教教団というようなものは、政治や教育の機能を担っていたし、生産機能すら担っていました。ヨーロッパの修道院などを見ますと、たいへんな生産力を持っていまして、開墾事業なんかもなさっています。ところが、機能分化した社会になりますと、各分野が専門化していかざるをえない。鋭角的に機能分化していきます。

それで、宗教のプロということになれば、どうしても宗教しかやってないという意味は、宗教に専従するということになりますね。もっと言葉悪く言えば、宗教をいわば食いものにしている、そういう人の意味になるわけです。ここは、宗教学でもあまり強調しない点ですが、このことと、一般人の宗教不信感とには深いかかわりがあると思います。

つまり、それは機能分化した社会における、宗教の運命というものについての、ここは非常に厄介な問題なのだと思います。禅などでは作務（さむ）というか、自分の食べるものは自分で作ってちゃんとしましょう、ということでやってきたわけです。だからひとさまの布施を受ける、いわゆる乞食（こつじき）修行はありますが、しかし、それはあくまで、在家者・出家者双方にとっての修行でありまして、本来は自分の食い代は自分で農作業をしたり、いろいろして調達してたわけです。

ですから、職業として宗教が専門的にプロフェッショナルの世界になっていくのは、近代になってからだと言ってもいいのです。ところが悪くすると、たとえば〝葬式仏教〟で言えば、ひとさまの悲しみで食っとる奴、といった印象すら与えかねません。

◐一つに専従すると……

そこに、宗教プロというものの、嫌でもひとさまに感じさせてしまう臭みも出てくる。これを、運命として考えると、芸術などともよく似ています。芸術家も、それだけで食っているというこですから芸術を食いものにしとるわけとになれば、同様の臭みを帯びるところはあるでしょう。つまり、芸術を食いものにしとるわけですからネ……。

でも、たいていの芸術家は食えてないですよぇ。絵画なんかも、画家の死後に高い値段になるわけで、生きている間は、みんな赤貧洗うがごとくなのです。それだったら一般大衆も尊敬できますよね。ところが宗教者というのは、下手するとものすごく儲けているように見えます。事実、教祖様というのは、その宗教のおかげで豪邸に住んだりしています。あれは、一般の人びとから見るとおかしいですよね。なんだ、宗教というのは、もっと社会に奉仕して、自身は清貧でないと……、そういう感じで期待しているのにね。医者に対しても同じように思っていますよね。すごいポルシェに乗っているような医者なんてロクな者じゃねえと。

やっかみもあると思うのだけれども、たしかに当たっているところもありますよね。宗教を食いものにして、豪邸に住んで、教祖様が一人えらいいい生活してる……。今度のオウム真理教の場合でも、麻原一家というのがいちばんいい生活をしていて、贅沢なものを食べて、子どもまでがその恩恵に浴しているとかなんとか……。それが、スキャンダル情報として人びとの耳目を集めます。世界をよくするために、まず自分が奉仕者でなければならないと、一般の人びとは思うわけですが、なんのことはない真っ先に自分がいちばん贅沢しているというのは、どうもちょっと合わないですよね。

でも、専門分化した世俗化社会というのは、芸術家でも、お医者様でも、みんな同じようにならざるをえない。医術をもって食いものにしている。芸術をもって食いものにしている。そういう運命なのです。だから、宗教者だけが、その中で責められるのはいささか気の毒なようにも思いますが、とりわけ宗教者には厳しい見方があるのも事実です。松下幸之助さんはいいけれども、池田大作さんはどうも……とか、一般庶民の感じ方というのは、ある意味でちょっときついけれども、しかし真実だという面も認めざるをえない。

したがって、現在は、先に〝拡散宗教〟と言いましたが、教団の外部といいますか、セクト宗教の外側にかえって、真の宗教性が求められる時代だと言っていいのかもしれません。ほかに何か職業をもってる、たとえば芸術であったり、文学であったり、あるいは学者であったり、とくに、自然科学者なんかが宗教になりますと……。自然科学の、とくに先端へ行くほど日本人好みの、ある種の宗教性を表現されるということが多いのです。

古い考え方では科学と宗教というのは、むしろ対立するもので、科学の世界というのは非宗教と言ってもいい。ところが、その非宗教の世界が、むしろ真の宗教性を表現してきていて、逆に宗教専門、宗教だけで固めた世界のほうは、それを食いものにしている世界だというようにすら感じられてしまう。

◐宗教を「食いもの」にする?

でも、繰り返して申しておりますように、機能分化した専門的社会と言いますか、すべての領域が専門化していかざるをえない社会では、悪く言えば、芸術でもなんでも、食いものにせざるをえないのが専門家なわけで、宗教家だって同じことです。ですから、食いものにすることで、そのままひとさまの救済になっているのなら、決して非難されるべきことでないと僕は思うんです。そうでないと、非常に中途半端なことになってしまいます。

しかし、だからといって、たとえば葬儀なんか、戒名料だとか言ってベラ棒に取ったりしますのは、やはりおかしい。同じ宗教に携わっている人間として、そんな無茶なお金の取り方をしたり、平然と請求したりするのは断じて許せない。もっと反省すべきだと思います。

◐宗教施設の維持経費?

まあ、よく聞くと、坊さんには坊さんの言い分もあるわけでして、あれだけのお寺の伽藍ですね、昔だったら、村が総がかりで、たとえば屋根が壊れたと言えば、村の人びとがみんな勤労奉仕してパッパッパッパッとやってくれた。庭などでも、いまみたいに植木屋さんが来るわけではなくて、信者さんたちが寄ってきてバチャバチャされて、それで済んでいたからお金がかからない。

ところが、いまはすべて専門家社会ですから、屋根に上がってくださるような素人さんはいませんし、危なっかしくてしようがない。

だから、これはお金で雇ってということになると、これを維持するだけ、メインテナンスだけでも、お寺というものにはたいへんな金がかかるのです。それに、国庫補助もありませんし、文化財ならともかく、特定宗教セクトは国の援助を受けるわけにもいかない。そうなりますと、一般の方々に依存せざるをえない。戒名料という名目でお金を取って、それをためて一〇年に一回まわってくるお寺の修復をしなければいけないということで、言い分は坊さん側にもあります。

――いま、プロの宗教家、という言い方をしたのですが、先生がプロの宗教家と言われる場合のそれは、一つはセクトというか、カルトというか教団人ですね。それから、既存宗教の場合だとお坊さんなわけですね。人数にすると、そんなにはいないですよね。

でも、宗教法人として認めているものだけでも、パチンコ屋さんの数より多いと言われています。いまはちょっと少なくなっていますが、古い江戸時代あたりで調べますと、たいていの村、行政村以前の字（あざ）あたりでいくと、世帯で五〇世帯ぐらいの村ですが……、そういう村にお寺が二つ三つある所というのはざらです。日本の旧村を調べていただいたらわかります。

典型的には近江、江州とよく言われますが多いですよ。関東ではわりと少ないですが……。とくにわれわれの浄土真宗が広がった地帯でいきますと、わずかの戸数で一つの寺が維持されているのがよくわかります。いまの公民館の役割から、日曜学校をされますから教育機関でもありましたし、村の人もこぞって勤労奉仕をされて維持したんでしょうね。

だから、もともと宗教者というものは結構多いものなんでしょう。ただ、いまのように目立たないのは、お金を取る必要がないというか、昔はお寺のほうもお金が要らなかったのです。プロのお坊さんも、現物でお米などをもらったり、乞食式の修行をなさって喜捨していただく、それをもらってくる。そういう理想が、わりと実現できていたのだけれども、いまは先ほど説明しましたように、すべてが現金決済になっていて、そのお金の世界に入り込んでしまっていますので、相当額をいただかないとメインテナンスできない、それでいやに目立つわけです。

――私たちは東京だからなのかもしれないのですが、プロの宗教家と接するというのはお葬式というか、お葬式に関連する回忌とか、そういうときだけなんですよね。

そうです。多くの方はその程度です。

――そのときに、先生がさっきおっしゃったように、請求されるわけですね。その金額が、私たちの収入から比べるとけたが違うという、そこが一つ。

ひどいと思ってしまうわけです。あれでもさほど高くないのは、クリスチャン、ミッションの方におたずねになったらわかると思いますよ。ちゃんとしたメンバーの方が、年間にどのぐらい献金されるか。これはたいへんな額ですよ。ちゃんとしたメンバーの方をご存じだったら聞いていただきたいところです。正直、先に説明したとおりで、本来教団はそのぐらい献金してもらわないと成り立っていかないのです。ところが、先ほどの話のような方々は日常的にはほとんど献金しておられません。いま、仏教教団に所属しているといっても、平生はほとんどなにもしてくださってないわけですぇ。せいぜい盆暮にちょっと付け届け持ってこられる程度。そうすると、結局葬式のときと、あとは年回法要みたいなときと、そのようなときに固め取りというかたちになりますから、きついではないか、という話になってしまうんだと思います。

――私たちがプロの宗教者に接するのはそれが一つですよね。ただ、いまのプロの宗教者、私が説明している食いものにしているように見えるのは、仏教的な意味での出家というよりも、まさにプロ宗教者ですよねェ……。

創価学会さんにもプロの宗教者がたくさんおられますよ。一つの在家講にすぎないのだけれども、それでも、言葉は悪いですけれども、それを食いものにしている方は多くおられましょう。創価学会の専従職員の方は全部そうです。創価学会の宗教のおかげで食っていられる。雇われている聖教新聞の方も含めてです。そういう人の中で、変にすごい豪邸でも造られると、「なによ」というふうに思ってしまうでしょうね。

――そうですね、その主張と現実のやっていることが一致してないということへの批判がありますね。

だから、旧仏教の場合は、とにかく変な伽藍をね、かりに捨ててしまえば楽になるはずですね。誰も頼んでないと。そんなもの維持してくれと……。それに、お前勝手じゃないか。しかも、中は広々していて、そんな贅沢な大きな家に住んでいるからだ、小さい所へ行けや、というのは言っていいことだと思います。邪魔なのならね。

◐清貧に生きよ

ところが地域社会で見たら、やはりあれがあるとホッとするのではないですか。みなさん悪口ばかりおっしゃるけれども、日本の村の風景のよさは甍が、古い瓦が見えていてね。その代わり、あれを維持するのはたいへんですよ。それは、どんどん傷んできますので、これはものすごい費用がかかります。それについては、わりとみなさん納得して門徒衆とおっしゃる、いわゆる教団メンバーの方は、わりと納得して出してられると思いますよ。

東京などで問題になっているのは、そういう門徒さんでないんですよね。メンバーでない方々でしょう、そのときだけ雇いで頼んでいる、その宗教者に向かってブツブツ言っているわけです。だから、それをそのまま全体に広げられると、いささか気の毒だということでちょっとは弁護もしたいですよ。

――職業としての宗教者として見れば、それは合法的というか、まァ納得がいくという気がするのです。だから、プロの宗教家に対して、何かうさんくささを感じるのは、やはり言行不一致ですか、そこ……だと思うんです。

そうですネ、清貧さがないのね。私も、オウム真理教の麻原さんなどのときも、最大の問題はそれだと思いました。爆弾を作ったとか、変な毒ガスを作ったという問題以前に、出家信者として入られた方が、まず疑問に思うべきだったと思うのです。批判の目を向けていいのです。子どもたちは別扱いで、自分たちはメチャメチャ贅沢しているとか、おいしいものばかり食べて、自分らはなんだと。俺は修行したからいいんだとか、そんな馬鹿な。それなら子どもはどうなのだと。悟ってもいない者が贅沢ざんまいしているではないか、ということは疑問に思うべきだったと思います。そこを思わないというのはおかしい。

そういう意味で、言行不一致、清貧に甘んじておられない。これは、普通のお医者様に対してでも、芸術家に対してでも抱く不信感ですよね。変に贅沢している医者がおれば、何か悪いことしているのではないかと疑うし、あるいは無茶苦茶な豪邸に住んでいる芸術家がいたら、「なによ」と思うのと同じではないでしょうか。

●英昭（えいしょう）坊さん閑話4　戦没者五十回忌によせて●

皆さんの地方では、お盆の行事を、関東とも同じく七月中にされるのでしょうか……。私たちのおります関西や、さらに西日本の多くの地域では、八月、つまり旧のお盆に行事が集中します。広島、長崎の原爆忌があり、帰省ラッシュがあり、そしてあの終戦記念日を迎えます。翌八月一六日の夕暮れには、京都五山の送り火があって、文字通り「慰霊の夏」は幕を下ろします。

たしかに、「盆前（ぼんまえ）のいらむし」なんて言い方がありますように、期間中たまらぬ暑さに閉口しますが、それでも五山送り火の頃の一陣の風は早や秋の気配。実りの秋を目前にして、人びとの気持ちには、どこか、盛夏への惜別の思いすらまじり合ってくるのが旧盆の持ち味でしょうか。それで、私は、あるところでこんなふうに書いています。

「関西のお盆は八月中旬。戦没者追悼の日々とも重なるだけに、ひとしお感慨も深い。平和への願いと共に、死者に対する負い目が、私たちの盆行事に宗教的な深みを与える。〝未練〟といえば、そうに違いないけれど、生き残って済まないという気持ちを抜きに、追悼も慰霊も成り立たない。いや、死にゆく人たちもまた、しばしば、先立つことを詫（わ）び、遺されるものたちに向かって〝相済まん〟と言いのこした。逝くものの未練と、遺されたものの未練。二つが交錯する地平に私たちの鎮魂の行事があった。

とすれば、お念仏も同じ地平に降りてくださったに違いない。〝あたたかいうちに〟ご飯を供え、あるいは赤茶けた出征写真の前にたばこをおいて、妻や子どもは、亡き人を偲んだ、いや、偲んで耐えた。断ちがたいこの未練を癒そうとて、お念仏は、しばしば鎮魂の呪＝護符にまでも身をやつして下さった。おかげで、死者の未練は、善知識の願いとなり、遺されたものの未練は、やがて逝く人の信となりえた。

ぼくの父はガンに斃れたのだったけれども、死の間際も父の口にのぼられたお念仏のおかげで、やがて、私〝一人がため〟の御催促に触れた。ご開山も宣明遊ばす、この世で御催促に触れたもの同士、〝必ず待ち、待ちて候〟と。迎え火も送り火も倶会一処。ともに慕う浄土の証し火。

五山送り火のころ、巷に吹く一陣の涼風を、人びとは、〝極楽のあまり風〟と呼んだ」。

いかがでしょう。なにが言いたかったか、おわかりいただけるでしょうか。そう、お盆の慰霊行事をむしろ軽視しがちだった浄土真宗のあり方に対して、私は、この文章ではっきり否と言っているわけです。なるほど、慰霊や鎮魂の諸行事は、そのままで浄土真宗の信心であるとは言えますまい。

でも、お念仏のおかげで、ただの慰霊行事が、おのずと「誓願不思議の世界」に転ぜられていく。むしろ、ただの習俗にすぎなかったものを、お念仏が荘厳してくださるわけです。そのあたりの機微を、「人の未練には違いないけれど、そんな地平にもお念仏は降りてくださる。いや、お念仏はしばしば鎮魂のための、呪＝護符にまでも身をやつして下さる……」と書いたわけです。

そもそも私たちは、浄土真宗の信心をいささか理屈っぽく、ためにかえってスケール小さく考えてしまう、悪いくせを身につけてきました。「無碍の一道をゆく」などと口では申していながら、むしろお念仏の利益をごく狭いところに封じ込めてしまうような仕儀にもなっております。〝当益〟はともかく、現世利益ともなれば、お念仏にこれを託すのはいけないことのように言う人すらあります。でも、現世をいのる心を抜きに、もっぱら浄土往生を願うというのは、かえってお念仏の利益に疑いをさしはさんでいる姿ではないのでしょうか。

そんなさかしらな不信の念を吹きとばすほどのパワーこそが、実は、他力（本願力）の働き（妙用）なのではありませんか。

「ご和讃」にうかがってみて下さい。

一切の功徳にすぐれたる　南無阿弥陀仏をとなふれば
三世の重障みなながら　かならず転じて軽微なり

南無阿弥陀仏をとなふれば　四天大王もろともに

よるひるつねにまもりつつ　よろずの悪鬼をちかづけず
天神地祇はことごとく　善鬼神となづけたり
これらの善神みなともに　念仏のひとをまもるなり

南無阿弥陀仏をとなふれば　十方無量の諸仏は
百重千重囲繞（いにょう）して　よろこびまもりたまふなり

いかがでしょう。ご開山がこのように礼讃されるお念仏を唱えるのに、私たちはどこか自信なげにといいますか、何やら弱々しい仕方で申しておるのではありませんか。確かに、愧（は）じいる気持ちはとても大切なものです。妙好人のお念仏には、どこかはにかみのようなものがあると教えて下さったのは、今は亡きあの橋本峰雄先生でした。でも、そうだからこそ、「ご和讃」にこうもうたわれているのです。

無慚無愧のこの身にて　まことのこころはなけれども
弥陀の回向の御名なれば　功徳は十方にみちたもふ

私たちの慰霊行事、とりわけ公的機関の行います追悼行事など、あるいは、魂鎮(たましず)めの習俗にすぎないと言えるかもしれません。でも、お念仏をたむける限り、そこには、神々をも成仏させずにはおかぬという「誓願不思議にたすけられる」世界が開けてもいます。戦没者五十回忌に当り、とくに神となられた亡き人にこそ、念仏供養してさし上げるべきだと私は思います。

（平成六年のお盆の頃に）

4　宗教と権力

——それともう一つは、さっきからチラッチラッと出てくるのですが、俗権力と結びついたって言いますか、創価学会もそうですが、宗教の世界にいて、聖なる社会にいてくれればいいのに、俗権力を握ろうとするとか、奪還しようとか、たしかにおっしゃったように、鋭いところがあるから、体制批判というのはありえてもいいのだけれども、手を結ぶとか、自分が権力を握るとか……。

現行政治勢力のある部分を利用しようとか。

——それとか、自分が権力を握ってという世俗的な権力と、聖なる権力とを一緒くたにすることへの不信感というのが、お金の問題以上にあるかなという気もするのです。その辺はどうなのでしょうか。

そうですね。それは、戦前の旧仏教はこぞって戦争賛成になってしまったという問題、あるいは天皇崇拝というか、世俗の人びとが天皇を尊敬される、崇拝されるのは当然としても、仏教者は、それ以上に仏様を大切にしなければいかん。天皇以上のものとして、仏様が君臨されていれば、きちっと心の中にそういうものがあれば、天皇制がもし曲がって変なところに行こうとしたら批判できたはずです。ところが、それをせずに体制べッタリというか……。ここは、批判されてもきたし、われわれとして現在も考え続けている問題ですね。

◐宗教的理想主義と〝政教分離〟

一方でもう一つおっしゃっているのは、それよりもみずから権力になる。世俗権力を自分でつくろうとする。これもたいへんむずかしい問題だと思います。キリスト教とかイスラム教などはどうでしょうか。世俗権力を押しのけて自分が権力になると、そういう歴史を繰り返してきたのではなかったでしょうか。先ほどの言葉ではセクト宗教と言いましたが、そういうのはいやだという、それ、それ、ある程度わかります。しかし、それはたしかに宗教の怖さなのですが、逆に宗教がいやでも持っている理想主義とかかわる問題でもあるんです。つまり、ロマンです。これを地上に実現するという情熱を持つ宗教はある面で、怖いというか、見方によれば権力志向ともいえるでしょう。仏教は比較的そうではないのです。むしろ地上の栄光は諦めているのです。この現実世界を、自分たちのロマンで覆い尽くすということは断念しているといってもいいでしょうか……。

この対称には厄介な問題がひそんでいます。浄土教団だけではないと思いますが、仏教用語で言いますと真俗二諦(しんぞくにたい)と言って、真諦・俗諦を分ける考え方があります。一方が仏法です、真諦というのは仏法のことだと思ってください。俗諦は王法と置いてください。それを二諦と言っている意味は、原理が別ですよという意味です。つまり、真諦門というふうに門を付けてもいいのですが、仏教というのは本来真諦門のものであるから、これはあくまで、この世での地上的救済ではなくて、もっと普遍的な死後にも貫通した救済を求める法門なのです。

一方の王法というのは俗諦ですけれども、これは地上的福祉を求める、いわば政治原理なのです。この世をできるだけいい社会にしましょう、ということを考えていく方向が王法の世界で、俗諦門の世界です。仏教は、真諦門の世界であって、俗諦には物を言わない、という考え方が一方にあります。

これを非常に強調しているのが、禅と浄土教です。ところが、先ほど来問題にしております法華経ですが、むずかしく言うと、一仏乗の理想世界と言うのですが、全部を仏のロマンの中に吸収しようとします。真俗二諦に対して、まァ一諦論になるわけですね。聖徳太子が、和の精神というか、あるいは一七条憲法というふうに持ってこられるでしょう。あれは政治原理ですが、……でも法華経から出てくるロマンでもあるのです。

世俗権力を、いわば奪い取ってでも、自分たちの仏法領土にするというロマン。すべてを仏法の理想に染め上げていく、こういう考え方を持っています。これは、どうしてもその面が出るだろうな、という珍しいお経なのです。

◐ 法華経のロマン

それをズバッと出していったのが日蓮宗です。一仏乗の理想が、向こうでは王仏冥合と表現されます。冥合というのは、王法と仏法は両立していく。つまり、バラバラな原理ではなくて、一方の世俗統治原理と仏法というものは違うという考え方ではなくて、仏法によって王法の側も冥合させてしまうというわけです。

——協合という意味ですか。

一仏乗の中に融合してしまうという考え方であって、一種の理想主義なんですね。キリスト教もそうだし、イスラム教もそうだと思いますよ。政治的にこれが表現されますと、どうしても祭政一致路線になるはずです。一方、先ほど言った真俗二諦を政治的に表現しますと、むしろ政教分離の考え方に近くなります。だから、いまの浄土真宗なんかは禅宗と同じく、言ってみれば、政教分離政策に即しているわけです。反対に法華教団、日蓮聖人以降の法華教団では、どうしても王仏冥合のロマンを捨てることはできないはずなのです。ということは、政教分離を、厳密には実行できません。したら終わりのはずです。

いまアメリカ合衆国などでも縷々問題になっていることも、これに関連して出てくるのです。キリスト教もその理想を失ったら、たぶんキリスト教ではなくなるでしょう。それでもなんとかして、歴史に学んで政教を分離しようとしてきたのです。後で申しますが、フランスは非常にうまくやります。これは棲み分けと言っていますが、〝俗〟の国政側と、〝聖〟の宗教側が分かれて、各々に、その分に応じた理想をめざすといういき方です。キリスト教世界、あるいはイスラム教の世界でも、趨勢はそうです。でも、そのために多くの理想を、彼ら自身失っていくという面も現にあるわけです。

◐ 宮沢賢治と石原莞爾

近代日本で、この理想主義を真面目に追求されたのが宮沢賢治さんでしょうか。ただし、法華の王仏冥合路線は、古い言い方をすれば、右にも行けば、左にも行きます。左の宮沢に対して、右の代表が、旧関東軍の参謀もつとめた、あの石原莞爾あたりでしょう。

ここは、本当は日本近代を語る山場みたいなところだと思います。いままで、日本の社会科学の人たちがまったくやってないところですけれども……。ぼくは、いずれ山折哲雄先生と相談して、研究プロジェクト・チームをつくろうと思っているほどです。日本近代というのは、仏教というのはほとんど影響力を持ってないように言われてきましたが、大まちがいです。維新期には浄土真宗なんかでも大活躍します。近代史学者が見逃しただけです。やがて大正時代あたりになってくると、いわゆる大正ロマンのころに、日蓮宗、とくに田中智学の国柱会というのが、いろいろな人材を輩出します。右派では大川周明と石原莞爾という人が偉大な人だと思います。第二次世界大戦後も、たとえば石原莞爾などは関東軍の幕僚などもやるからひどいやつだと、日本軍国主義の典型みたいに言われていますが、この人は、士官学校で言えば後輩になる東条英機に追い落とされまして、退役将校のかたちで講演してまわっているのですが……。それが、特高警察の監視下にやっています。東条が命令して付けているのですが、でも、そんな状況下にしては、すごく大胆なことを言っています。当時、あれだけ軍部を批判できた人はいないぐらいです。

その裏打ちになっているのは、彼が王仏冥合のロマンを実現しようとしたからです。それが、彼流儀の八紘一宇（はっこういちう）なのです。ぼくは、いまでも再評価していいと思っています。それこそ本当の「最終戦争論」というのを書いたりもしているのです。今度の麻原彰晃も最終戦争論者だったらしいですが、石原のは法華にもとづいて、法華経ロマンによる最終戦争論ですから見上げたものです。世界平和が本当に訪れるためにはという、要するに王仏冥合の理想楽土を期待してのことなんですからね。日蓮さんが逸早く東の日出ずる国の持っている責任だと言っているわけですよね。法華のロマンを世界中に実現していくことが、彼のロマンだったわけですね。国粋主義とも見えますけれど……。

でも、一方では宮沢賢治のロマンもあるではないですか。石原莞爾さんなどをあげると首をかしげる人でも、宮沢賢治をあげるとたいてい褒めてられますよねェ。それがまたおかしい。だって根にあるものは同じなんですから。宮沢も、小さいですけれども羅須地人協会という、いわゆる農業サークルをこしらえていっています。この生きている現実世界に、法華経のロマンを、実現しようと……。

たまたま宮沢賢治は、中途で挫折してしまうから一見目立たない。あるいは、石原みたいに国のレベルで、王仏冥合を考えるような人ではありません。でも、根っこにある宗教的ロマン主義は同じものだと思います。

いま、たしかに日本の方々は、政教分離賛成で、そういった宗教のうさんくささだけを見がちですが、世俗の権力になろうとしているなどと、それだけを見て嫌がるのだったら、過去にある、いま言ったような宗教ロマンを、すべて否定せざるをえないということにはなりませんか。

一方、われわれは、なんで戦前に戦争反対ができなかったか。たしかに真俗二諦の弱みなんでしょうが……。現実に人びとが戦争に行って死んで、アジアでは逆に殺されて……。そういうことも、しょうがないなァと、世の中ってそんなもんやがな、となってしまう面があったんですよね。仏法の救いは、来世で救われればそれでいいんだ、というようなことを言ってね。

それで、自己批判の中に、真俗二諦的発想法を批判せざるをえないということが出てきます。つまり、宗教的理想主義を失って体制ベッタリになったという面を否定できないですね。

◐アメリカのキリスト教右翼

逆に、いまアメリカ合衆国などでは、たとえばダーウィンの進化論を公教育で教えていますが、それ、おかしいではないか、あれも一つの宗教みたいなものではないかと言って、キリスト教保守の人たちからは、公教育で創造神話も教えろと要求する声があります。一種の反動路線なんですが……。いま、アメリカ合衆国で国民投票したら、宗教教育を公教育の中へもっと入れろ、礼拝の時間も増やせ、ということを言っている人のほうが多いぐらいです。

連邦裁判所で、政教分離は憲法条項であるからとして、やっと抑えていますけれども、一般国民世論とすれば保守的キリスト教をもっと大切に、の声のほうが強い。そうすると、この感覚は、むしろ王仏冥合的ロマンを失ったことが、アメリカ合衆国全体の宗教性を失わせていっているのだという、やはり人びとの危機感なのです。

ダーウィンの進化論と言っているのは、要は唯物論のことを言っているわけですが……。彼らにすれば唯物論の代表なのですよ。猿から人間になったと。馬鹿なことを言うんじゃない、人間のスピリチュアリティというか、神から賜った霊性は別だよと。これは、もっと別ないのちの連続性の中にあるのだと、そういう彼らの宗教心です。そういうものをぶつけていってるわけでしょう。

そういうものが彷彿と起こって、唯物論こそが社会を駄目にしてきた、という意見がいまは強くなっている。スピリチュアリズムとか、島薗先生などが詳しく説明されているニューエイジャーとか、先ほど言ったファンダメンタリズムもみんなその流れなのです。

政教分離というものが、欧米だったらちゃんと根付いているのかというと、案外そうでもないということなんですよネ。というより、政教分離なんて宗教が弱っている証拠なのかもしれません。宗教がいちばん元気なときは、むしろ祭政一致をめざしたロマンをどこかに持っているのです。日本で言うと、法華経のロマンですが、そこから離れて、私の言う〝鎮めの文化〟にしだいになっていったのが禅と浄土真宗なのです。〝王仏冥合〟のロマンと違って、たぶん近代人はとても理解しにくいけれども、これはこれで、一つの宗教的理想主義のかたちではあったんですよネ。

——王仏冥合でしたか、もう一つ真俗二諦みたいな、どっちにしても両刃の剣という感じがしますね。

そうなのです。真俗二諦には真俗二諦の弱点があって、王仏冥合には王仏冥合の欠点がある。しかし、いい所もまたある。長所は、必ずや短所でもある。これは、人間にも当てはまりますよね。つまり宗教的真理なのかもしれませんね。

●英昭(えいしょう)坊さん閑話5　いのりとみとり●

ずいぶん以前のことですが、NHKの大河ドラマ『いのち』をみていて気になることがありました。端的に、その〝無宗教性〟にひっかかるものがあったのです。橋田寿賀子さんの作品らしく、嫁と姑の葛藤や老いの悲しさはよく描かれていました。そして、主人公の生母と親友とが、いずれもガンで逝く、そのあたりが、前半と後半各々のヤマ場であることもよくわかりました。全篇を通して、なるほど「いのち」が問われていたのだということも……。でも、それにしては、泣かせるだけで何かもの足りません。「いいじゃない、きれいな津軽を見せてもらったし、まあ、その程度のドラマなのよ」と、言ってしまってはかえってにべもありません。何といっても、視聴率の高い〝国民的〟番組なんですから。とりわけ、わが宗門もまた「いのち」を問い続けてきたのですから……。

誰がみても宗教抜きにはありえない、そんな領域に踏み込みながら、なおヒューマニズムさえあれば充分というこの作者の思い込みを、私はむしろ不遜だと思うのです。ちょうど、無宗教で戦没者の「慰霊」ができるかに思っている人たちと同じではないでしょうか。もともと医療は、宗教そのものとも言えるような営みでした。一六世紀の外科医パレはこう言っています。「われは包帯するのみ、神これを癒したもう」と。医療とは、いまも、「みとる」ことと「手当て」することに違いありません。そして、この限りで、癒しと救いとが一つになるのだと思います。病人が商品化されたデパートのようないまの病院には、患者の魂の休まるところがない。ここまでならドラマでもよく描けています。でも、宗教的な意味での「いのり」がなくては、「みとる」ことはできないというやさしい羞恥心が、この作者にはないのです。

特定の宗教でない、つまり習俗ならいいと言うのでしょう。仏壇があり、亡き人の遺影があり、その前のいのりも形としてはありました。しかし、文字どおりの生死の一大事に触れる医者が、ただのヒューマニズムにとどまっていていいのだろうかという肝心の問いを、この作者はついに発することなく終わったのでした。ガンに限りません。私たちは生きる途上で何度か〝どうにもならない〟場面に遭遇します。だからこそそのお念仏であり、キリスト教徒にとっては神へのいのりでありましょう。神や仏を否定したヒューマニズム（＝人間中心主義）はいま、その強さの余り、「いのち」をも操作できるとする、おそるべき不遜へと行きついたのではないでしょうか。

私の父も含めて、多くのわが宗門の方々は、往生間際のお念仏によって、むしろ「みとる」側の私たちをこそ、慰めて逝ってくださったのではないでしょうか……。

不可思議の弥陀の誓ひのなかりせば何をこの世の思ひ出にせむ　（良寛）

（昭和六二年ごろ）

講話1

慈悲の風景

ただ今、ご紹介いただきました大村です。私は教職と坊さんの両方をしておりますが、父が早く死にました関係で若くしてお寺の住職を引き継ぐことになりました。

父は浄土真宗大谷派のお寺で生まれましたが、縁あって本願寺派のお寺に養子としてまいりました。私のお寺は先の大戦で灰燼に帰し、父はその復興に全力をあげて努めました。その苦労が因になったのでしょうか、父は五五歳でガンのため死亡しました。その頃私は二〇歳を少し過ぎたばかりでまだ大学生でした。

私はあわててお寺を継ぐ用意をし、急造りの坊主になったわけです。坊さんになるためには、まず得度します。頭を剃って合宿訓練に参加します。夏休みを利用してこれをやりますが、住職になるためにはさらに宿泊していろいろな修行をしなければなりません。お寺に生まれれば普通は「門前の小僧習わぬ経を読む」で少しは訓練されているはずですが、私は全然何も勉強していませんでした。

父はたぶん、そんなに早く死ぬなどということは考えてもいなかったのでしょうか、私に対して何も教えてくれませんでした。ただ、後ろ姿で導くといいますか、戦後の復興に真摯に取り組み、大きな貢献を残したということは私の胸に深く刻みつけられました。そして最後はガンという難病による死ということでわが身をもって人間の生死の問題を私に問いかけてくれました。

父のガンはお医者様から一年程前に私に告知していただき覚悟を決めよとのことでした。手術をしましたがすでに転移が始まっており、一年位で再発が予想され、その時は最近の医学をもってしてもどうにもならないだろうと教えられていたわけです。

そのお医者様はたまたま私のお寺のご門徒でしたから、そのように私の覚悟を促して下さったわけであります。今から考えればその一年こそ父が私に最後の贈り物として残してくれたものだったと思う次第であります。

そんな事情で急造りの坊さんになったわけですが、初めはお寺を継ぐのは嫌でならず、門徒総代の方にその気持ちを打ち明けましたが、「まあとりあえず」ということで逃げられませんでした。

門徒総代さんが本当に偉い人でした。「私は尋卒や」とよく言われるのですが、尋常小学校しか学校は行ってないという意味です。「私は尋卒やさかい、あなたのような京都帝国大学の哲学ですか、そんなむつかしいことはわからん」とおっしゃるのです。理屈ではとてもかなわんと一見謙遜しておられるようですが、実は満々たる自信を持っておられるのです。この方は近江出身で小学校を卒業するとすぐ、大阪に丁稚奉公に出されて、修業した後独立して店を持たれました。出世して羅紗屋の元締めみたいになり、〃今大閤〃なんていわれた方なんです。

その総代さんが理屈はとても通じないと思われたので、そうおっしゃったと思いますが「私はむつかしいことはわかりませんが、お父さまが戦後一所懸命努力され、もちろん門徒一同も合力させていただきましたが、あの焼野原からこのように立派に復興されました思いというものは、やっぱり貴方さんという将来の後継者がやってくれるんだという希望があったからではないでしょうか。貴方は親鸞の教えでは世襲なんかはおかしいとおっしゃるが、お父様の情に照らしてみればペケです。少なくとも尋卒の人間ですら親の思いはわかる。もし貴方がお寺を継がんとおっしゃるんだったら大の親不孝ものですぞ」その一点張りで押してこられて私も承知せざるをえません。本当に偉い方です。昔は船場で仕込まれるということは、やっぱりああいうことだったのですね。

大阪の商家では古くから仏教に馴染み、その中で育てられた人びとの考え方、行動に強い影響を与えてきました。仏教が商人の文化を形成する大きな要因となっております。

商品の値決めをするとき、算盤に値段を置いて売買両方の間を往復させて詰めていき、最後に「願以此功徳（がんにしくどく）や」で決着をつけ、双方その値で取引をするのだと聞き私は驚きました。この願以此功徳というのは、いろいろなお経を読み終了したとき付け加える文言なのです。

願以此功徳　　願わくばこの功徳を以て
平等施一切　　凡ゆる人に平等に分け与えて
同発菩提心　　同じく覚りを開く為の修行を励もうと固く心に決めて
往生安楽国　　迷いのない平安な世界に生まれたい

商売上の掛け引きはお互いにするだけはしてきたが、この辺で相互の歩み寄りをして納得し、値を決めよう。この上はもう安いの高いの迷いを捨てて、よかったよかったにしよう、というのがこの「願以此功徳」で算盤を置いて決着をつけていくということです。仏教に縁の深い大阪の風土としてそのような商人文化が長い時間をかけて定着したものと思います。

大阪はよく豊臣秀吉の城下町として発展した町だといわれていますが、実は大阪の歴史あるいは文化の形成の元はお寺にあるのです。

大阪は寺内町として発展した都市です。親鸞聖人から八代目の蓮如上人という方の時代に大阪は大発展をとげるのです。蓮如上人は晩年大阪、今の高津神社のあたりにお寺を建てて布教されました。上人は当時の仏教のヒーローですから、そのお顔を見ただけで悩みが晴れて心の平安が得られ救われるといった感じだったようです。それでたちまち人が集って寺内町が形成されました。蓮如上人が亡くなられた後石山本願寺が建立されます。今の大阪城の所です。一向一揆等のことをご承知かと思いますが、織田信長がこの石山本願寺を攻撃します。柴田勝家など錚々たる武将を派遣して攻め立てますがなかなか落ちません。本願寺の方には毛利軍団が支援し、海上からいろいろな物資も補給します。また当時もっとも進歩した鉄砲軍団の雑賀党も本願寺側について善戦します。当時最新の鉄砲を持っているのは雑賀の他に根来衆というのがあったのですが、これは織田側についてお互いに激しい戦をしたわけです。

督戦のため出張って来た織田信長は大和川の付近で本願寺側に狙撃され、太腿に当たり落馬しますが命には別状がなかったのです。信長が必死に攻撃しますが、ついに攻め落とすことはできませんでした。信長の没後、豊臣秀吉の天下となりますが、秀吉は力ずくで争うことを避け、朝廷を動かして和睦の勧告をしてもらい石山本願寺を明け渡させ、その代わりに京都堀川に本願寺の用地を寄進し、そこに平和裡に移転させます。これが現在の西本願寺なのです。先に申しましたように、大阪は秀吉の城下町であるよりもお寺の門前町という性格を後々までも持続するわけです。現在の御堂筋の名はこの道路に北の御堂（西本願寺派）、南の御堂（東本願寺派）という大きなお寺があるためなのです。しかし時代とともに仏教、浄土真宗による土地の文化がしだいに薄れつつあることはまことに残念なことで、私たちの力不足が悔やまれます。

さて、平成一〇年すなわち一九九八年は蓮如上人の五百回忌に当たります。この浄土真宗中興の祖を慕って大遠忌が営まれることになり、その準備に入っています。西本願寺の御門主はちょうど油の乗り切った年輩でまことに力強く、関係者一同全力をあげて努力したいと念じています。あの教線の盛んだった蓮如時代に戻すよう、夢よもう一度とがんばりたいと思いますから、いろんな意味で御支援を賜りますよう切にお願い申し上げます。

蓮如上人の五百回忌の翌年は一九九九年、ちょうど世紀末に当たります。『ノストラダムスの大預言』によると、ハルマゲドンと言って何かすごい、たとえば富士山の大爆発とかなにか破天荒な事件が起こって、人類の破滅の第一歩を踏み出すのだと終末観が述べられています。終末危機感に乗っていろいろな新宗教が若い人びとの心をとらえています。たとえば文明真光教とか阿含宗とか、あのオウム真理教でも、一九九九年の終末を前提として、今のまま禊(みそ)ぎをせず人類が罪を重ねるならば大破滅は免れないというのです。

これら新宗教でなくても若い人びとの間にはある種の終末の予感めいたものが流れています。私が大阪大学で学生を教えていましても、何か今までにはなかった感性、なぜあんなものが受けるのかと思われるようなものですが、危機感というほど具体的なものではないのですけど感じられます。この傾向は若い人の作品、たとえば吉本ばななさんの一連の作品の中にも感じ取ることができます。

今から七百年程前、鎌倉時代に日本仏教の偉大な祖師たち、たとえば日蓮宗の日蓮上人、浄土真宗の親鸞聖人などが輩出しましたが、これも終末感、このままでは仏教が亡んでこの世からなくなるのではないかという危機感すなわち激しい末法意識がこれらの祖師たちを立ち上がらせたのであります。

親鸞聖人のとらえ方はもっとも深く徹底したもので、世の中の道義がすたれ腐敗に満ちた濁世(じょくせ)となると同時に、自己自身を反省すれば罪悪に満ちたまったく救いようのない絶望的な人間である、罪業深重(ざいごうじんじゅう)の親鸞であると受けとめられたわけであります。世間一般というより、むしろ私自身のこととして末法を意識して、このような私がどうすれば仏になれるかと真剣に法を求められたのであります。

さて、前段が少し長すぎましたが、これから今回のテーマである「煽(あお)る文化」と「鎮める文化」ということについてお話したいと思います。

明治御維新以降だいたい一三〇年近く経ちますが、この間あまりにも「煽る文化」一辺倒であったことを反省せざるをえません。もちろん「煽る文化」というと少し言葉が強すぎるかもしれませんが、また変な言葉かもしれませんが「ガンバリズム」と申しましょうか。欲望を煽ると言ってもそう簡単に言い表せませんが、つまり「未来の栄光」を手に入れるため今は我慢しなさい、忍の一字ですよという、むしろ禁欲を強いるものです。今は忍の一字で耐えてがんばりなさい、そしたら将来こんなよいことがある。未来の欲望充実のため現在の欲望を抑えてがんばらせるのです。結果的には未来に餌をかかげて今をはしらせるわけです。

戦前には小学校に二宮尊徳像が立っていまして、三年生の読本に二宮金次郎の勤勉努力について説明がありました。先生は「ご覧なさい、将来すごく偉くなられた二宮金次郎はああやって働きながらも時間を惜しんで本を読んで勉強されたのです。あなた方も今は一所懸命に勉強してがんばるんですよ」と教えられたものです。わが国ではこういう形で少年たちにガンバリズムを浸透させたのです。世界的に見てもわが国のこの手法はもっともすごいと思います。私たちの年代はこの傾向がまだ抜けきらないので今日のように急に休め休めと言われても対応に苦しむのです。「何していいかわからん。時間がこんなにたくさんあったら困っちゃうな」という感じで、何がなし働きたいのです。

日本はこのガンバリズムのおかげで非常に豊かになり、今は世界のトップクラスに入りました。先進諸国はどこも大なり小なりその国の各々の事情は異なっても、がんばらせて豊かになったのです。日本では金次郎物語とか、藤吉郎物語とかいろいろな文化的ヒーローをこしらえて、少年の頃から頭に植えつけてきました。世界の国々もいろいろな違いはあっても、各々に文化的ヒーローを立てて少年たちの頭に植えつけがんばらせて豊かになってきました。そのこと自体は何も悪いことではないのですが、これには一大欠点があり基本的欠陥が内蔵されているのです。それは何か、実は、未来は栄光だということのために人間の死というものから目をそらすということであります。人間に生まれた以上どんな栄光を手にしても、所詮一度は死ななければならない、死は必然だと見据えられると未来の栄光というものもぐらついてきます。社会主義国もこれと同様であります。マルクス主義は、自分たちのイデオロギーを徹底して、それに従って社会を動かしていけば必ず栄光の世界に至る、これは必ず歴史が証明すると言います。マルクス主義というのは歴史の証（あかし）ということを言っているわけです。

キリスト教では「神が証をされるだろう。神が約束しておられる、あなた方の栄光はあなた方のその手の中にある。そのためには神の召命に従ってがんばりなさい」、すなわち忍の一字でがんばれと勧めます。これがつまりは、キリスト教的禁欲のエートスと言われるものであります。社会主義の方は神の存在を否定したが、その代わり歴史が証していると言う。労働者階級に向かって「歴史が証する、みなさん歴史的召命に目覚めよ、未来はあなた方のものだ」と。「未来のために今は耐えてがんばれ」と、キリスト教のエートスと実は似たようなものであります。

さて、キリスト教が社会でしっかり受けとめられている間は神の天国に召されるということできっちりと押さえられるのですが、しだいに世俗化が進んでくるとこれがぐらついてくる面を持っています。社会主義の場合は完全に世俗化したガンバリズムですが、残念なことには未来の栄光の世界を夢見ていたのが、現実の世界で「未来は何の栄光かよ」と人びとに思わせるような大事件が起きていったのです。最大のものは東欧圏の環境破壊、森林破壊など深刻な問題が起きているのです。私の友人でソ連経済に詳しい人がいますが、二〇年前からこのことを指摘して心配をしていたのです。中国の状況もすごく懸念されます。あれだけの大人口が急速な経済発展をとげ自家用車がどんどん増えていけば、排ガスは黄砂とともに日本に酸性雨となって落ちてきて恐るべきことが起きてきます。石油精製技術レベルの低い中国だからいっそう心配です。

ソ連の場合、森林破壊がまず問題になりましたが、何と言っても決定打はチェルノブイリ原発事故です。「チェルノブイリ原発で多くの被害者を出し、都市は廃墟となったではないか、何が未来の栄光なものか」と人びとに大きな失望と不安を抱かせました。未来のために我慢してきたのに、その未来がなくなったとすればもはや我慢する理由がなくなってしまう、これが社会主義がたどりつつある道筋なのです。これが死から目をそらせ、未来を追わせた煽る文化の末路なのです。

さて、一方仏教の方はこれと反対に、死の一点を見据えることによって成った文化であります。私は「鎮める文化」と言いますが、原点を死というものに置いて、すべてのことをもう一度再出発すべきだと主張するものです。煽る文化を全面否定するわけではないが、これだけでは人は死というものの解決がつかないのです。どうしても鎮める文化がないと人生の決着がつかないのです。

たとえば病人に対する治療の問題を考えてみましょう。今日医療の世界にはすごく矛盾が出ています。手当てという言葉がありますが、これはキリスト教から出た言葉です。患者の痛い所に看護をする人が手を当ててやり患者とともにその痛みを分かち合う姿なのですが、患者は誰かが自分の痛みをともにしてくれると思えば、それだけで和らぐのです。痛みが鎮まる、癒す心、ヒーリングとも申します。それが医療の原点なのです。ところが最近の医療の実態は例の脳死の問題とか、あらゆる手段を尽くしてただただ生命の延長をはかるとか、いろいろ考えさせられることが多いようです。私は大学の先生方に向かっても、「あんた方はあかん、医療の原点を忘れているではないか、あんた方のやっていることは生命ガンバリズムにすぎない」と苦言を呈しています。がんばれ、がんばれとただ生命を長引かせているのが現実です。

私たちの宗門では、死人を火葬にして収骨し、遺骨の前で坊さんがお経をあげて「お文（ふみ）」というものを読みます。お文は蓮如上人が手紙のかたちで門徒にわかりやすく教えられた文章です。これを御文章（ごぶんしょう）とも言い、何十通かをまとめられて一つの本になっています。その中の一通が有名な「白骨の御文章」です。「夫（それ）人間の浮生（ふしょう）なる相をつらつら観ずるに、おほよそはかなきものはこの世の始中終まぼろしの如くなる一期（ご）なり」という書き出しで始まります。なかなかの名文ですから一度聞いたら忘れない。終わりの方で「されば人間のはかなき事は老少不定（ろうしょうふじょう）のさかいなれば」と、人間の生命のもろさを懇々とお諭しになっていますが、「朝（あした）に紅顔ありて夕（ゆうべ）に白骨となれる身なり」と生命のはかなさをリアルに表現しておられます。今の人が聞いたらよっぽど縁起が悪いと感ずることでしょう。ところが私たちの宗門ではお正月の元日にもこの白骨の御文章を読むのです。お寺の元旦のお勤めを修正会（しゅしょうえ）と言いますが、お経の後に初参りの門徒方の前でこの白骨の御文章を読みます。めでたい、めでたいと寿がねばならんのになぜ「死」というものをぶっつけなければならんのか、これが私たち浄土真宗の見識なのです。老少不定つまり老いも若きも年の順にはゆかん、しばしば若い人が先に死んで老いたる人が取り残されてしまうこともあるんだ、そんな悲しみもあるなあとおっしゃっているわけであります。このお文を静かに味わってみると人間の生命のはかなさ、いかに無常であるかがしみじみと感じられ、また昔の時代の人間の死とそれを囲む人びとの情緒というものが目に浮かんできます。

しかし最近の様相はだいぶ違ったものになってしまいました。重態の病人のおられる家族から「医者が今晩が危ないと言われますから住職様どうか待機していて下さい」と私に電話があります。「そうですか、そらご心配ですな」と返事をして待っているが、夜が明けても何も連絡がありません。こちらから行くのも何か変な話なのですが、家で待っておればどこへも行けません。仕方がないので、まだ生きておられたら「お見舞いに来ました」と言うことにして病院へ行きました。早朝ですが親戚の方が二、三人私の所へ寄って来て「まだでんねん……、えらい申し訳ありません」と言われるのです。「ちょっともち直し始めたということですからご住職さんは何か東京へ行かんならんということでしたが、どうぞ行って下さい。二晩や三晩は大丈夫ということだそうです」と。親戚の人びともぞろぞろ帰って行かれたようです。

蓮如上人のこの御文章は、奥さんと娘さんとを伝染病で次ぎ次ぎに亡くされ悲嘆にくれていた男の人に向けて書かれたものだそうです。

その男の人の友人が見かねて蓮如上人の下に行き、「友達がたいへん悲しんでいます。なんとか慰めの手紙を書いていただけないでしょうか。そしてこれを機会によくよくお念仏をするように勧めたいのです」とお願いをしました。上人は「ああそうか、承知した」とお書きになったのがこの御文章だといわれています。まだ若い奥さんと娘さんでしょう、今までのあの若さに満ちた姿が、ほんの束の間に変わり果てて冷たいむくろ、野辺送り、はては白骨と耐えがたい急速な変わりようです。「朝には紅顔ありて夕には白骨となる」まことに厳しい現実なのです。

話を先程のご病人のことに戻しますが、四日目にやっと連絡があって私は弔いに行きました。何でも火葬場に先約があって希望の時間がとれず早めに来てくれということで、葬式は十一時開始です。それを済まして火葬場に行き、定められた時間に火葬が行われました。係の人が「お骨は一時半には上がります」と言うので、別室で弁当を開きビールがちょっと回った頃に「上がりました」と伝えてきました。あの白骨の御文章では「夜半のけむりとなしはてぬれば、ただ白骨のみぞのこれり」と深い悲しみの中にも何かしらこう情緒が流れているのですが、真昼間に煙もなく、個人を偲ぶ暇もなく「はい上がりました」では何とも味気ないものであります。

世の中が進んでくると遺族の方々も大変です。忙しいスケジュールに乗せられて事が運んでしまい、看病で疲れた身で対応せねばならず悲しんでいる暇もありません。大正九（一九二〇）年頃までは幼児の死亡率が高かったのですが、しだいに改善されてきました。お葬式はたいていお年寄りで「老少不定」とも言えなくなってきました。もちろん子どもが亡くなるということがなくなったわけではありません。子どもが亡くなって一番悲しむのは親です。何物にも代えがたいものを失った悲痛な思いです。このような時に心の奥にしみてくるのが白骨の御文章です。とりわけ「朝に紅顔ありて、夕に白骨となれる身なり」とは人の命のはかなさをひしひしと感じさせるものです。近頃は老人の病院期間がだんだんと長くなってきました。しかもやたらに延命の方法がとられ、本人ももう勘弁してくれと言っているのに止めてもらえません。私はこれを生命がンバリズムと言っています。教育界も医療の世界も諦めるということはタブーでがんばらせる。ガンバリズムが国是みたいになって煽る文化なのです。わが国はこのガンバリズムにかたよりすぎたのです。もちろん私はこれを全面的に否定しているわけではありませんが、人間の死を直視することを忘れたり、地球環境破壊などに対する真剣な考察を忘れさせるようであれば大いに考え直す必要があると思っています。

若い人たちには今までの私たちと違った感性が身につきはじめています。地球全体の終末の予感といったものです。また、若い人たちの間で新宗教に走る人も多いようですが、いろいろな意味で、一度目を向け直してどのようにして生きていけばよいのかを根本的に考えなければならない時が来ていると思います。鎮める文化の伝統というかそういったものをつきつめていく必要があると思います。

私は大阪大学のあるゼミで良寛についてお話をしました。学生にたいへん受けてもう一度話せということでした。良寛という方は江戸時代後期の人で禅宗、その中の曹洞宗（そうとうしゅう）の坊さんです。最近はブームを呼んでおり、とくに若い人びとが注目しています。NHKの特別番組で早坂暁の脚本、良寛は桂枝雀、貞信尼は樋口加南子ということで放送しましたがたいへんな人気を呼びました。何かしら仏教的なものが自然に流れているような感じを受けました。良寛の歌として「裏を見せ表を見せて散る紅葉」というのが有名ですが、実はこの歌は良寛を最後まで看とられた貞信尼の『はちすの露』におさめられた別人の歌です。二人の出会いは、良寛七〇歳、貞信尼は三一歳の時でした。

ある朝なんか五日間も雪に閉じこめられて、貞信尼は行くにも行けず心配ばかりしていたのを思い切って良寛の庵を訪れます。案の定、良寛は死んだようになって寝ている。貞信尼は思わず抱き起こす、良寛がしきりに目を開けようとするのですが開かないのです。目やにが固まって目を開けようとすると痛いのです。そしたらなんと、貞信尼がその目やにを舐（な）めてあげるというようなことがあったのです。三一歳の若い女に感じさせる魅力を良寛が持っていたということですね。それが悟りの中味なのでしょう。「裏を見せ表を見せて散る紅葉」はほかの人の歌ですが、良寛が最後に口にした歌と言われております。良寛自身の遺言の歌は「形見とてなに残すらむ春は花夏ほととぎす秋のもみじ葉」というものです。私たちの浄土真宗でよくいただく良寛の歌に、「炊くほどは風がもてくる落ち葉かな」というのもあります。いずれも、自然という恵みの中でわれわれの生命そのものが仏さまから賜った生命なんだと歌い上げているのです。

良寛は禅によって悟りを開いた人なのですが、最後はお念仏なのです。「良寛に辞世あるかと人問わば南無阿弥陀仏というとこたえよ」という辞世の歌も残しています。そして私のもっとも好きなのは、「不可思議の弥陀の誓いのなかりせば何をこの世の思い出にせん」という歌であります。禅で悟って禅を抜けお念仏の世界に参入してお念仏の中に死んでいったのでしょう。

最近このようなものが見直されあるいはブームになっているということは、やはりどこかでわれわれは豊かにはなったけれども何かこのガンバリズム一辺倒の「煽る文化」の中ではどうしても死ねないということに気づいてきたのではないかと思うのです。「若い間はそれでよいけれどある年齢になるとそうはいかない、何か今までのことが空しくなって来る」と、同じく良寛を語った水上勉がこのように表現しています。水上氏はある人との対話の中で「不思議なことに、人は貧しい時の方が他人にものをくれてやりたくなるんですよ」とおっしゃっています。つまり彼が言いたかった、良寛が生きた世界、良寛が愛惜してやまなかった世界を「慈悲の景色」ともおっしゃっています。考えてみると確かに私たちは、あの終戦後すごく難儀しました。今のような贅沢はできなかったのですが、今考えて見直してみると、あの当時の人の方がもう少し心がやさしかった、乏しいものを分かちあう心のやさしさをもっていたように思います。自分が貧しければ貧しいほど他人の痛みがもっとわかると水上氏は言っているのです。そして良寛はそこに生きていると彼は言うのです。子どもたちとまりつきをしたり、いい話を聞かせたりしながら良寛は乞食の生活を続けているわけです。遠慮し遠慮して生きております。そういういわば恥を知る人だったと思うのです。子どもたちに親が「よい話をしてくれた坊さんはどこの人か」と聞くと「向こうの庵の乞食坊さんだ」と答えます。腹もすかしているのだろうと、子どもたちに「今度行く時には菜っ葉の一本も持って行かなあかんぞ」と親の口から出てきます。自分も満腹するほど食っていないのに「今度はご飯を一合なりと持って行け」と、貧しい中に温かいものが流れていました。そのような世界を良寛は遠慮の極致のようにして生き抜いてきたのだと水上氏は言います。この水上氏の言葉は私たちに反省を迫っている。「慈悲の景色」というように言われたのですが、そういう世界を私たちはどこかに棄ててきたんじゃないか。たしかに戦後の私たちの生活は貧しかったけれども、人の心はもっとやさしかった、何かこう人の痛みがわかるところがあったと思うのです。ところがだんだん豊かになればなるほどエゴイズムになってきて、他人の痛みがわからなくなってきたのではないか。最近になって国際貢献ということで日本人が外国に行って活動するようになったけれども、以前はそんなことは損だとかかわり合わず、横から見ていてもいやになりました。
インドに行ってみるとたしかに貧しく汚いですが、あそこにはものすごく豊かな文化がありま す。牛をタブーにしていますから牛に道を譲り大切に扱っています。ああいう所に何か私たちが忘れ去った世界があるのではないかと思うことでした。私たちの命を育んでくれるものへのもったいないなさみたいなものがあったのだと思いました。そんなのを「慈悲の景色」と水上氏は言われるのです。

さて、今日のお話の結論として医療の世界で言われたところを申したいと思います。私の尊敬する友人に岡山大学付属病院の小児科医長をしていた駒沢勝という方がいます。現在は岡山市内で開業して、駒沢小児病院ということで活動しておられます。駒沢先生の専門は白血病なのです。小児白血病すなわち小児血液ガンであります。その治療のためアメリカに二年留学したりされた専門家です。私が初めてお会いした時は、ずいぶん悩んでられた。今でこそ骨髄移植などという治療法もありますが、その当時は何年も治療を続けて結局はほとんど死なしてしまうからです。あの病気の治療は痛くて子どもには耐えがたいものなのです。一の例ですが十歳くらいのお嬢さんがガンで入院しましてコバルト照射を受けなければなりません。綺麗な髪の毛の子ですが、治療の結果髪の毛は全部抜けて丸坊主になってしまいます。鏡を見てたいへんなショックで「死にたい」とすら言うのです。それを慰め慰め騙し騙ししながら痛い治療を続けなければなりません。

骨髄を手術するのですが、麻酔は危険ですから麻酔なしです。本当に痛い治療です。駒沢先生としては患者に対して「やっぱりあなたはガンなのです」と言わなければなりません。そして、ある段階になれば治らないことを告げなければなりません。まことに無念なことですが、治せないと言わざるをえない時が来るのです。入退院を繰り返し痛い治療を続けた末、最後は死なせてしまう。「こんな鬼みたいな仕事はもう御免だ」と先生はすごく悩まれたわけです。

でも、ある時期から、山陽新聞に「病気の子どもも日本一」という先生の文章が連載されました。「ああ、おわかりになったんだ、仏教をいただかれて心が開けてきたな」と私は喜んだ次第です。現在では「ご開山（親鸞聖人）のお蔭で救われた」とおっしゃっておられます。

その駒沢先生が、対治と同治ということについて述べられています。このことは、今は亡くなられた協和醗酵の加藤弁三郎先生がよく使っておられた言葉です。加藤先生は篤信の仏教者であられましたが、この言葉にさらに息吹を吹き込んだのが駒沢先生です。簡単に説明しますと、「対治」というのは熱が出た時はこれを冷やし、熱が上がろうとするのを抑えるやり方です。ところが古い治療法でしょうが、熱が上がったらそれに逆らわず添っていくような治し方もあります。熱が出たら熱い風呂に入って熱燗の卵酒を飲んで汗をうんとかいて温かな布団に入って寝る。熱が上がったらその熱に添って治していく、これが同治です。

一つのたとえですが、坊やが泣いているとき、背中をパンとたたいて「坊や男の子じゃないか、泣くんじゃない」と言うのが対治の心です。同じ坊やが泣いているとき、別のやり方もあります。幼稚園なんかでよく見る風景ですが、小さい子が泣いているとき、年上の嬢ちゃんが側に行って慰める。ところがしばらくたつと反対になっている場合があります。はじめ泣いていた子はもうケロッとして、慰めに行った年上の嬢ちゃんの方がシクシク泣いている。この共に泣くというのが同治の心なのです。

駒沢先生が治療の体験から達せられた結論は、「近代医学はもちろん対治の心、これは捨てられないけれども、これだけでは足らずやはり同治の心の手だてがなければならんのだ」ということでありました。近代医学ではどうしても手の届かぬところがあるのです。対治の心にはある限界があります。医術の限界あるいは人間の持つ力の限界というものをはっきり見据えておかなければならないわけです。

親鸞聖人の日頃のお言葉をお弟子の唯円という方が書き記した『歎異抄』という本があります。その第四条に次のようなお言葉が載っています。

一。慈悲に聖道浄土のかはりめあり、聖道の慈悲といふはものを憫みかなしみ育むなり。しかれども思うが如く助けとぐること極めてありがたし。また浄土の慈悲といふは、念仏していそぎ仏に成りて大慈大悲心をもって思うが如く衆生を利益するをいふべきなり。今生にいかにいとほし不便と思ふとも存知のごとく助けがたければこの慈悲始終なし。しかれば念仏まうすのみぞ末とほりたる大慈悲心にて候ふべきと、云々。

さて、このお言葉について説明させてもらいますが、聖道の慈悲と浄土の慈悲と、二つに分けて述べられてあります。聖道の慈悲についてはこの世ではいかほど憐れみをかけ、気の毒に思っても思い通りに助けおおすことができないからこの慈悲は始終なし、すなわち徹底することができないとおっしゃっています。実は駒沢先生はそこまで言われなかったのですが、先生のおっしゃる対治の心は親鸞聖人がおっしゃった聖道の慈悲とまったく同じものなのです。決して否定されておりません。これも大事なのです。駒沢先生は近代医療者ですから対治療法を絶対に捨てたらいけないと認め、一所懸命これをやるとおっしゃっています。でも親鸞聖人がおっしゃるように聖道の慈悲だけではどうしても助けきれない場合がある。思うが如く助けることができないからこの慈悲始終なし、すなわちこれではどこまでいっても助けられず限りなく悲しいとおっしゃっているのです。人間の力の限界をはっきり思い知るべきだと教えられているわけであります。

白血病で痛い治療のあげく死んで行かねばならない坊やも限りなく可哀そうですが、その坊やの両親の胸の内もどんなにか辛いことでしょう。万策つきて坊やは死ななければならないのですが、親御さんは抱きついて「坊や死んだらあかん、がんばって」と放しません。親の思いも痛々しいですが、医者としての駒沢先生は、それを見ながら胸を締めつけるような悲しみを味わわなければなりません。どうしても死ななければならない坊やに向かってなお「死んだらいかん」というのはまことに酷なことなのです。駒沢先生はこのような病気の子どもを持った悲しい両親たちの心を慰めたいと両親教室みたいなものも開かれました。そして親鸞聖人から学んだお話をいろいろされたのでしょう、親御さんの気持ちもしだいに開けてきます。ほとんどの親御さんが最初は「坊や死んだらあかん」と言っていたのが、最後は坊やを看とりながら「ようがんばった、もういいよ、もう死んでもいいよ」と言われるとのことであります。これはもう対治の心から抜け出してかけがえのない坊やの死に、ただ添っていく心だと思います。熱が上がったら下げる、頭が悪ければ治す、これが対治です。しかし同治の心は頭が悪ければ悪いままに、目の悪い人は目の悪いままにすべてを受け入れる、全面受容の世界です。このように心の展開を促していくのが同治の心であると駒沢先生は説明されるのです。

親鸞聖人に話を戻しますと、終極的には浄土の慈悲によらなければ徹底して救うことはできないのだとおっしゃっているのです。もちろんこれだけでよいと言っているわけではありません。聖道、浄土あるいは自力、他力の意味合い、浄土真宗の一番むずかしい問題ですが今日はそれを申し上げる時間がありません。今は対治の心と同治の心と申し上げておきますので、お帰りになられたら、ぜひに『歎異抄』の第四条、聖道の慈悲、浄土の慈悲について親鸞聖人のお言葉を深く味わって下さいますようお願いいします。

最後に、駒沢先生からお聞きした感銘深い、涙を禁じえなかったお話を申し上げます。これが同治の心だろうなと先生はおっしゃいました。一〇歳くらいの坊やを亡くされたお母さんの話です。

あらかじめ覚悟してもらおうと、私は「お母さん、坊やはむずかしいと思います」と申し上げました。その段階でお母さんは覚悟され「よくわかりました。その代わりこの子が死んで行くとき、私の血を二〇CCだけでよいですから最後の輸血をして下さることを約束して下さい」とおっしゃいました。私はこれを軽く受けとめて「ハイハイ」と承諾した、と駒沢先生の話です。ところが先生は坊やのいまわのとき、うっかりその約束を忘れておられたのです。先生が輸血されないので、臨終が近づくとお母さんはえらく怒られて「先生は何してるのですか。坊やはもう死ぬじゃないですか。早く私の手から血液を二〇CCとって坊やに輸血して下さい」と迫ってこられたのです。先生は「ああしまった、たいへんなことを忘れていた」と思って祈る心で輸血にかかられます。二〇CCの輸血をとるのは簡単だが、入れようとするとこれはたいへんです。坊やの血流がどんどん弱くなっていき、二〇CCがなかなか入らないのです。最後の一滴を入れるのと坊やの脈拍が止まったのとが同時だったと先生はおっしゃいました。そしてただただ念仏するばかりだったとのお話でした。なぜならとおっしゃるのです。このお母さんの気持ちがわかるじゃないか、せめて母の命の一部でも坊やと一緒に添うていきたい、そういう願いと、祈りをこめた心、同治の心がなければ最後の看取りはできないと駒沢先生は私たちに強く訴えておられるのです。

私は、宗門の学生たちには、正信偈のはじめの文言、帰命無量寿如来と声を出して読ませ、次は南無不可思議光と声を出して読ませて「ハイ君たちはもうこれで如来さまが君たちに添うて離れられないのだ」と教えています。浄土真宗のお念仏というのは、阿弥陀如来が私に添うてどんな悲しみも苦しみも一緒になって悩んだり苦しんで下さる同治の心、如来さまの限りなき慈悲の心を味わわせていただくことだと思います。今日のお話はこの辺で終わりたいと思いますが、ぜひ『歎異抄』をお家でじっくり読んでいただきお心を深めて下さるようお願いいたします。

講話2

本当は〃いい子〃なのに……——「臨床社会学」応用篇

初めからテーマを二つに限らさせていただきたいと存じます。一つは、「メタ・メッセージ」、もう一つは、「予言の自己成就」。時間の関係もございますので、社会心理学でもとくに興味深い、この二つの論点にしぼってお話をしたいと思います。

メタ・メッセージとは

それではまずメタ・メッセージと申しますのは、社会心理学の講義を現に大学でお聞きになっていらっしゃいましたら、そうめずらしい言葉ではないかもしれません。この場合「メタ」と申しますのは、私たちのコミュニケーション、どんな会話でもよろしいんですが、お話を申しますときに、メッセージとは抽象度の違ったレベルで伝達されているもう一つ別の意味を指します。したがいまして、メタ・メッセージとメッセージを区別した場合、ただのメッセージのほうは言葉そのものが伝える意味です。言葉そのものというのはわかりにくいかもしれませんが、次のように考えていただくと何でもありません。たとえば「君はかしこいね」と言われた場合、素直にとれば言葉そのものが伝えるとおり賞められたと思うでしょう。でも語り手の目つきから、同じ言葉でも皮肉に聞こえることもあります。極端な場合、言葉そのものは「君はかしこい」でも、意味上は「君はアホだ」ととらざるをえない、そんなこともしばしばです。言葉そのものの伝える意味がメッセージだとしますと、私たちは、それとは違ったレベルのもう一つ別の意味（メタ・メッセージ）をも同時に読みこんで、そのつど一喜一憂しているわけです。言葉そのものとは全然違った意味を、当の言葉に乗せて伝えることができる。これがメタ・メッセージの妙味だとも言えましょう。

　では、メタ・メッセージを具体的にはこんでいるものは何かと言いますと、一つは相手に向けて私がまなざしを注ぐ、その目つきであります。「目は口ほどにものを言う」というのは、つまりメタ・メッセージでそれほどのことが言えるという意味でしょう。それから仕草がございます。私たちがこうお話をします折に何か仕草をする、その仕草でございます。あるいはもっと大事なのは、場面そのもの、すなわち、その言葉が発せられている舞台装置といいますか、その状況場面そのもの、これも充分にものを言っているわけでございます。

　先にもちょっと触れましたが、メッセージとメタ・メッセージとを同時に相手にバーンと発信いたしまして、私たちはしばしばこの二つをまったく違う意味に、こっちをプラスにこっちをマイナスにというようにやってのけることができるわけでございます。

ある落語家の方から昔、直接聞いた話ですが、江戸時代に説教師の名人という方がおられました。この人が昔のことでございますから、高座に座って大きな本堂でお説教なさる。そして聴衆を右と左に分かっておきまして朗々たる素晴らしいお説教をなさるんだそうであります。ところが、最後そのお説教が終わりましたときに、右の人はワハハと笑っていますが、なんと左の人はシクシク泣いている。そんなはなれわざをやってのけた人がいたそうであります。

なぜそのようなことが起こるか。当然メッセージは一つです。メッセージは一つのことしか伝えられないはずなんですが、それをなぜ、右に座っている人たちはおもしろい話だと聞き、左の人たちはかわいそうなお話として聞くことができたのでしょう。これこそまさにメタ・メッセージの妙味。メタのほうを見事に操っているわけでございます。パッと右を向いたときには必ずこう暗示をかけます。暗示というのは次の話になるのですが、暗示をかけまして、「これはおもしろい話でしょ」、「これはおもしろい話でしょ」というように目つきや仕草でものを言わすわけです。メッセージそのものが実はおもしろい話なんだということを仕草とか目つきとか、こちらに向いたときは必ずそのように仕向けます。逆に左に向いたときは必ずこれは「悲しい話でしょ」、「かわいそうな話でしょ」というように目でものを言い、また仕草でもかわいそうらしい仕草をする。だんだん時間が経ちまして一時間くらいずっとそれを続ける。もっともこれごちゃごちゃにしてしまったらいかんのですね。へたな人がこれをまねると右左が混乱してしまって笑いもせん泣きもせんという、ばかなことになってしまいますが、これを上手にやれば、必ず右は最後おもしろいお話としてそのお説教を聞き、左はたいへんかわいそうなお話としてそれを聞くことができる。そんなことができたと言われるわけであります。

そういうことも、メッセージとメタ・メッセージということが、私たちの場合、会話において二段構えになっているということを考えれば、まあ当然のこととなってくるわけであります。

またこんな例をあげることもできます。大学生で自殺する者もでてくる。困ったことだというので、われわれもクラス担任などという妙なものをあてがわれています。今日も私の担当学生が逮捕された。身柄引受人になってくれと言って友人が押しかけてきます。身柄引受人なんて嫌だよというようなことで逃げてきました。つまりクラス担任というのがそういうときには何とかめんどうみよというのでありますが、そのクラス担任を仰せつかっておりますので、大学当局からは教師と学生との間の対話をもっと密にせよと迫られています。対話のないことが学生にさびしい想いをさせておるというわけです。本当は、そんなこと考えんでもいいんですけれどね……。

そんなこと言わんと学生が来たときはちゃんとそれなりの応対をしてやってほしいというわけです。だから、なかには来んでもええのに大学の研究室に来てくれる学生もいますわね。来てくれまして、まあ仕方がないから、言葉の上では「まあまあゆっくりおかけ」とかやってます。でも、本当はどっかで時計を見たりなにかして、「早よ帰れ」「早よ帰れ」というように思ってます。そのために仕草でいろいろ、それこそメタ・メッセージとしては「出て行け」と言い、メッセージとしては「そこにいなさい」と言う。まことに妙なことになってくるわけです。

いまお話した場合は、何せ相手が大学生でありますからそう深刻なことにはなりませんが、もっと小さい子どもの場合だとどうでしょう……。ある特殊な状況の中で、そういう会話ばかりにさらされ、しかもその場面から逃れられないという、つまり子どもの弱さゆえにどうしても逃れられないという状況に長く置かれるとどうなるでしょうか……。ダブル・バインド（double bind）と言うんですが、二重に拘束する、二重拘束説（二重縛り）というふうに訳しておりますが、そういうことが起こるわけです。

京都の茶漬けという、これも落とし話でございますが、京都の人ってのは少々いけずですから、「まあまあそんなはしぢかで、まあどうぞおあがり」とか何とか、お客に対してうまいこと言います。「どうぞごゆっくり、まあちょっとお茶漬けなど」と言うことが多いんですね。でも、本当は、お茶漬けなんて出す気持ちはさらさらありません。だから、京都人の気性をよく知っている人なら、「ごゆっくり」することなんてないんですけれど、そうでない人は、つい言葉どおりにとってあがり込むことにもなりかねません。そしたら、ほうきを逆さまに立てられる……といった仕儀にもなるわけです。もちろん、お茶漬けなんて、いつまで待ってもでてくるはずはありません。

こういう場合でも、どこか（メタ）で本音を漏らしながら、メッセージは建て前になってしまって、しかも相手を二重に拘束する結果になっています。先ほどの学生の場合でも、言葉（メッセージ）では「まあ、ゆっくりしなさいよ。そんなにあわてて帰ることないよ」と指示しておいて、つまりそこに縛りつけておいて、しかもメタ・メッセージ、つまり仕草では時計を見たり、かかってもいない電話に手をかけてみたり、がたがた立ったりすわったりして、「早く出ていけ」という指示を漏らす。いったい、どっちが本当なのかわからないわけです。小さな子どもが相手ですと事は重大です。おとなや学生の場合であれば本音と建て前をいずれ弁別し、適当に反応することができましょう。先生は忙しいと思って出ていく場合もあれば、中には鈍感にずっとすわっている場合もあります。私の経験では、ひどく鈍感な学生もいるんですね。なんぼ仕草で示しても全然わからないんです。言葉ではっきり、「君、出ていって欲しいんですよ」と言うまでじっとすわっている学生もいるんです。もっともあんまり敏感なのもいやらしい。ちょっと時計を見ただけで、「これはどうも」、「先生、忙しいんですね」などと頭をペコペコ下げられたら、何かサラリーマンを相手にしているみたいで、これまたいやなもんですが……。

とにかく、学生やおとなが相手ならば、ダブル・バインドといってもまだ罪が軽い。軽くはないにしても、まさか情緒障害を残すほどのことはないでしょう。しかしながら、相手が小さな子どもの場合ですと、しばしばこのダブル・バインドが情緒障害のもとになると言われているんです。実はこのダブル・バインド・セオリー（double bind theory）というのが出てまいりましたのは、現在、精神分裂病の原因がなお定かではないからです。このセオリーを提起したのは、G・ベイトソンらですが、実際に精神分裂病に適用いたしましたのは、R・D・レインという人たちです。それで、レインが引く、ベイトソンがあげた次のような症例が非常にわかりやすいだろうと思いますので、ちょっと引用しておきます。

ある母と息子なんですが、この息子が幼児なのに分裂病になって入院していたわけです。それで寛解しては出てゆくんですが、またすぐに入院しなければならぬようなかなり重い症状になってしまうんです。そしてレインは実際にこの治療に当たっておりまして、なぜそうなるかということをいろいろ検討していた。この母の夫、つまり子どもから見れば父親ですが、これとはもう離婚しております。その父はこの母にひどい仕打ちをして裏切って、他の女に走ってしまったんですね。その結果、母親は母一人子一人というかたちで現在この息子を育てているという状況なわけです。

ところが、子どもが成長してきましたら、当たり前のことではあるのですが、非常に父親に似てくるんですね。それで、母は母としての気持ち、つまり子どもを養育するやさしい気持ちと、女としての気持ち、つまり裏切った父親に対する憎悪というか、そういった女としての気持ちとが、しばしばその息子の面前で葛藤してしまうわけなんです。例をあげているところを見ますと、寛解といって少し分裂病がよくなりますので、それで母親に迎えに来いというわけです。そして病院の門の所へ車に乗ってお母さんが迎えに来る。こちらにお医者さんと看護婦とがつきましてこう待っている。玄関の所で子どももお母さんが迎えに来るのを楽しみにして待っている。向こう側に車がパッと着くので、「さあさあ、お母さんが来たよ。行きなさい」と言って、看護婦などみんなでその子を押し出す。喜んで子どももちゃんと行くわけですね。なるほどそれを見ていたら、お母さんもパーッと手を拡げまして、ある段階までは手を拡げて「さあいらっしゃい。早くいらっしゃい。さあキスしなさい」とやっておるわけなんですね。ところが、距離がずっと縮まるにしたがって、子どもがあるところまで来ますと、ピタッと動きを止めて、お母さんが「さあいらっしゃい」と何度も言い、また「キスしたくないの」と口で催促するんですが、しかしいくら催促しても子どもが動かなくなるんです。

この様子をレインはどういうことなんだと思ってじっと観察しているんですね。これには何があるんだと……。最初はよくわからなかったんですけれども、レインは鋭いですから、それを見抜くのです。これは実は母としては、お母さんの立場としては、「何をしているの。早くいらっしゃい。私にキスしたくないの」という言葉、メッセージは母として発せられているわけですね。ところが、仕草のほうはどこかぎこちない。子どもが近づいていくとおかしくなるというのは、子どもがだんだん近づいて自分の視界距離に入って、子どもの表情がよくわかるようになると、子どもの姿の後ろにパッとその憎たらしい父親、自分を捨てて出ていったあの男の影がその息子の後ろに見えてしまうわけです。それで子どもの表情までわかるところへ来ると、どうしても父親の影が見えてしまうので、女の仕草がつい出てしまうんですね。逃げられた女の憎しみが思わず出る、つい漏れるわけであります。だから、言葉では「何しているの、早くいらっしゃい」と言いながら、つまり母の言葉を発しながら、女の仕草が「それ以上来るな、私はあなたが嫌いだ。そこで止まっておくれ」というメタ・メッセージを漏らしてしまっているのです。その結果、子どもはどっちの命令に従っていいかわからない。母の言葉なのか、女の仕草なのか……。分裂病の人はだいたいそうですが、非常に鋭いことがかえってわざわいします。メタ・メッセージに対して、むしろ鋭敏すぎる。もっと鈍感だったならば、どうってこともないかもしれない。ところが、非常に敏感なものですから、結局、母の言葉ないし母のメッセージと、女の仕草というメタ・メッセージとが正負真反対の命令を伝えることになる。女の仕草では、私にそれ以上近づいてくれるなと命じているわけなんです。しかも、母の声は、「何をしているの……早く」とさらに催促しているわけなんです。「どうしたの、私にキスしたくないの」、「もっと自分に素直になりなさい」と、言葉でどんどん命令をしかけるんですね。ですから子どもは、いよいよにっちもさっちもいかなくなって、金縛りになって、ついには体を震わしてくるわけです。そしてせっかく治っていたのがまた再発するというような事情を目の当たりに見まして、レインはダブル・バインドのこわさと言いますか、その状況に置かれた子どものつらさというものを明快に指摘するわけであります。

こういうようなものがダブル・バインド・セオリーと言われているものなんですが、その際問題になりますのが、メッセージ、メタ・メッセージという、私たちのコミュニケーションにおけるあや、人間のコミュニケーションが非常に複雑な構造になっているんだということなのであります。しかもこのメッセージとメタ・メッセージとがしばしば分裂したり、あるいは正負真反対の指令を伝えたりいたしますので、その狭間で鋭敏な子どもほどその犠牲者になりやすいんだ、と問題提起をしたわけであります。しかし私たちはそこまで深刻に考えなくても、一つの原理としてメタ・メッセージという論点に注目しておいていいと思うのです。もう一度言葉を戻して言いますと、仏様のメッセージと申す方もいらっしゃいますが、正しく言えば、むしろ仏様のメタ・メッセージの中で子どもが育つというように言うのが正確なんじゃないかと思うわけです。

ついでながらこのメッセージとメタ・メッセージでおそらくかんのいい方ならすぐ想い出されるかと思いますけれども、こういう問題もあるかと思います。親鸞聖人、ご開山はご本典の中で三願転入(さんがんてんにゅう)という、あのいちばん大事な所で「隠顕(おんけん)」ということをおっしゃっておるわけであります。そこで『観経』であるとか、『阿弥陀経』であるとか、そういうお経の言葉そのものというか、言葉そのものというのはまあこうであるけれども、というようにおっしゃって、でも本当はというかたちで、というよりは隠れた意味、如来の本当の言葉という意味で、メタ・メッセージというのを解読しておられるのではないでしょうか。暗号を解読するのと同じと言うと、少々誤解されるおそれがあるでしょうが、しかしそれでも一種解読にも似た作業を敢行されておるのではありませんか……。

まあそういうことにも鑑みて申しまして、私たちにとってのメタ・メッセージというものの重要性と言いますか、通常メッセージ、メッセージと言っておりますが、むしろメタについての認識が大事であろうということ。そして仏様のまなざしというのは、おそらくそういう脈絡で考えるべきではないかというのが、本日の一つの論点であります。

予言の自己成就について

ところで、もう一つの論点として出しましたのは「予言の自己成就」というのでありますが、これはどういうことか。次にこれを申したいと思います。実は先のメタ・メッセージ論というのと、この予言の自己成就という論点とを重ねていただきたい。二つ合わせていただくとたいへんおもしろいはずなのです。

最近とくに気になるんですが、学生などを見ていると、思い込みというのがものすごく多いのです。とりわけ大事な思い込みは自分についての思い込みですね。自分とは何であるか、私とは何であるか。心理学ではこれをセルフ・イメージとか、セルフ・コンセプトとか、そういうように申すわけでございますが、ここに思い込みというのが大いに関与しています。自分の姿、それは鏡に映るじゃないかと誰でもすぐ思います。確かに、鏡に映った姿から自画像は描けますね……。

しかしながら、鏡に映っているのは物理的な影であります。私たちはそういう物理的な容姿とは別に、私とは何であるかという一種の自己イメージを持っています。ある人は非常に内向的だと勝手に思い込んでおりますし、私は卑怯ものだというように自分でイメージをこしらえて、自己嫌悪に陥っている人もあります。そういう意味での、私とは何であるかというセルフ・イメージは、いったいどうして出てくるのでしょうか。

自分の容姿を映している物理的な鏡には映らないけれども、これを映しているものがあるのです。もう一度申せば、これがまなざしであります。みなさんが私を見るまなざしの中に私は映し出されています。こいつあほかいなという疑いのまなざしもあれば、見上げるようなまなざしもあれば、見下げるようなまなざしもある。軽蔑のまなざしもあれば、尊敬のまなざしもある。そういういわば、自分に注ぎかけてくる他者のまなざしの中に、あの人はこう私を見ているんだなということを私は読み取ることができます。皆様方の中にある私。つまり私を見るまなざしが、そのまま私というものを形成していく基（もと）であります。

そういう意味で、人は誰しも、できるだけいいまなざしというか、自分を見つめている本当にいいまなざしの中で育つに如（し）くはありません。逆に、悪いまなざしや軽蔑のまなざしばかりを注がれていますと、誰だってあまりいい気持ちはしません。当然、そのまなざしに抵抗します。くそー、あの野郎、俺を嫌な目で見やがって嫌な感じだと初めはそう思います。しかし、もし、誰からもどっちを向いても、見下げるような軽蔑のまなざししか注がれることがなかったならば、やがては本当の意味で軽蔑されるにふさわしい自分というのを形成していかざるをえないというのが、残念ながら人間の弱さなのであります。いかなる演技も協力的な観衆の前でしか成功しないというのが、「ドラマの社会学」を提起するものの第一のテーゼでありますが、ここに「協力的」とありますのは、決していい意味でそうだと言っているわけではありません。噺家語録に「芸人殺すに刃はいらぬ、あくびの三つで頓死する」というようなことが言われている。前にすわった客に、全然おもしろいことあらへんわといった調子であくびをされたら、どんな落語家でも話はできないのであります。ここと思うときにちゃんと笑ってくれるようにいろんな仕草をし、まなざしで合図をします。これに反応して（協力して）聴衆が笑う。これで話し手のほうも盛り上がるんです。もっと言うと、聞き手が注いでいるまなざしには、もともと笑わせてくれるだろうという期待がこもっているんですね。まなざしの中には、ある種期待というものが含まれているんです。相手に対する何らかの期待が必ず含まれています。話し手はその期待を読み取って、できればその期待に応えていこうといつも身がまえているものです。

ところが、軽蔑のまなざしというのは、こいつはだめなやつだというネガティブな期待を含んでいます。ネガティブな期待であっても、それでも期待には違いない。こいつはあほやという意味での期待が注がれている。だから、初めのうちは、俺はお前がそんなに期待しているほど、あほでないと反発するのでしょうが、でも、やればやるほど、あがけばあがくほどいよいよドジをふむ。となると、結局は、その期待にふさわしい人間を演じているのがいちばん楽というような仕儀になります。仮にいやな期待であっても、自分をその期待に合わせていってしまうということがしばしばなのであります。

俗によく「あの人はさすがに世間に出はって偉いもんやな」などとおっしゃいますが、初めはそういうことではなかったんですね。しかしながら、みんなが見上げるようなまなざしで見てくれる。そういうまなざしに慣れていくと、その中に含まれている期待に応えるのが上手になってゆく。少なくとも期待に応えるふりをするのがしだいに上手になってくる。したがって、私たちも、なるべくいい期待の中に置かれれば、いずれは本当に、その期待にふさわしい人間になれるんではないか……。できればそのようないい目線というか、まなざしの中でみなさん方もおられるに如くはないということを、まず申すことができる。

さて、その期待というものをもう少し広げて、大仰に申しますと、実は予言が含まれているわけですね。普通「予言」と申しますと、たとえば秋田沖で地震が三日後に起きるというような予言を言いますね。その場合、それを聞いた相手が、地震というような自然現象であった場合、三日後に秋田沖で地震が起きる予言を聞いた。それを聞いた地震さんが「あいた、先に言われてもた。せっかく起ころうと思っていたのにどないなっとんのや。やめた。ちょっとずらしたれ」と、こんなことをするかというと絶対にないのであります。すなわち、自然現象に対する予言という場合、その予言に応じてその予言された当のものが反応するということ、これは絶対にないのであります。そういう意味で、予言というのはいつでも外側にある。ものの流れ自体の進行がありますね。その進行の外側から、まったくこの流れの進行に影響を与えない形で、外側から予言がなされているわけです。

ところが、それはあくまで相手が自然に限られるのであって、社会、あるいは相手が人間である場合、たとえば社会現象についての予言は残念ながらそういうわけにはいかないのです。当然それを聞いたら誰かが反応してしまう。「あいた、言われた。そんなのはおもしろくない。三日後に起こると言われたから、四日後にしたろ」というように、われわれはあまのじゃくでありますから、当然そのように何らかの反応をしてしまう。占いというのを考えてみましょう。地震でさえ、なお充分な予測ができないと言われます。それほど、自然現象に対する予言が的確に当たらない今日において、意外にも人間諸事象をめぐる占いがよく当たると言われる理由はただ一つ、予言された当の人がみずからその予言を実行するからにほかなりません。という意味を解く鍵が、それが予言の自己成就というカラクリなんですね。

これを大きく分ければ二つあります。一つは、「自殺予言」と申しておりますが、もう一つが「成就予言」ですね。成就予言を説明するのによく使われる例は、銀行の取りつけ騒ぎです。銀行の取りつけ騒ぎというのは、このごろ起こりませんので、みなさんもご存知ありませんが、戦前はよくあったんですね。戦後の事件としては、豊川信用金庫事件というのがただ一つございます。これはＮＨＫ世論調査研究所が非常に詳しく調べています。どういうことかと言いますと、あの銀行は危ない。あの銀行の預金準備率が下がっていて危ないということを誰かが、どこかで言いはじめたんです。噂で「あなた預けているんなら出したほうがええよ」と言いはじめたんですね。その予言は初めはまったくでたらめだったんですね。根も葉もない噂か、あるいは競争相手の銀行が無理に流したネタであったというかたちで全然根も葉もなかったんですね。ところがその噂（予言）を聞いた人びとが危ないというので自分の預金をいっせいに引き出しにかかったら、なるほどある段階ではそれ以上引き出せなくなる。実際に銀行は窓を閉めざるをえない。倒産ということが実際に起こるわけです。取りつけ騒ぎというのはそういうのでありまして、一般に、予言の自己成就というのは、こういうかたちをとるものだと言われております。ところが、逆に自殺予言というのもあります。いまの銀行の取りつけ騒ぎだと、初めはでたらめだった予言が結果としては正しい予言となっていく、それで成就しているというわけです。自己成就という意味は、噂なら噂、予言なら予言そのものが働きかけているから、自己成就というように言うわけですね。

自殺予言というのは、ちょうどこれの反対になります。私たちに身近な自殺予言の例。投票日の数日前に「当選確実」なんていうコンピューターによる予測が出てしまうことがあります。おもしろいことに私たちの人情でございますが、私たちは常に限界効用を最大化しようと思って行為しているというのが、経済学の第一テーゼでございますが、それを当てはめればすぐわかりますように、私たちは投票する前に、落選確実とか、当選確実とか言われると、そんな人には投票したくないんですね。どっちかと言えば当落線上の人を探して入れます。当落線上の人に一票を入れたいという気持ちがある。なぜならば、そうすることで一票の限界効用が最大になるからであります。ひょっとしたら、この私の一票で落ちたり、通ったりするかもしれないという思いで一票を投じる。だから投票前にあの人は当選確実であるというようなコンピューター予測が出ますと、仮にそのときは間違ってはいない正しい予測だったとしても、多くの人びとがその予言に反応してしまう結果、当選確実だったはずの人が落ちたという例が、参議院地方区には数例ございます。候補者の多くが、新聞社へ「当選確実なんて絶対に言うな。言うてみ、殺すぞ」などと言って脅しをかけるんですね。そして、選挙数日前になると、こういう人びとの言うことは決まっています。「決して楽な選挙ではありません。誰それは苦戦しております。当落線上でございます」というかたちで先読みをしているわけですね。自殺予言のメカニズムを警戒的に読みこんどるというようなことでありましょうか……。

以上のようなことが予言の自己成就のメカニズムなんですが、この予言を期待という言葉に置き換えていただく。そうすると先ほどちょっと言いましたように、私たちがいろんなまなざしを注がれ、そのまなざしの中に、ある種の期待が含まれているといった点が、いまの論点にも重なってくるんです。つまり、いま、現にここにいる「私」というのは、実は、他者の予言ないし期待が先のメカニズムによって「自己成就」した結果ではないか、といったことが考えられるわけです。

はじめに期待ありき

社会心理学ではいろんな実例があるんですけれども、たいへんおもしろい実験を一つ考えておきましょう。ローゼンタールという教育心理学者を中心にしたグループによる実験です。彼らはある中学校へ行きまして、IQテスト、知能テストは非常に欠陥が多いと言い立てます。これに対して私たちは、ネオIQテストという新しいテストを開発したのでこれを試験的に実施したい旨、中学の校長先生に申し入れます。そしてこれも有名な心理学者の名を借りて、しかも科学的テストの権威を充分に利用して、これを実施したいと申し込むのです。中学校ではこれを快諾しまして、通常の授業を止めて一日かかって子どもたちみんなに実施させる。そのテスト結果を公表した後、二年近くの追跡調査をしたのです。

ところが、確かにネオＩＱテストは実施したんですが、子どもたちの書いた答案は全然見ていないんです。答案用紙を持って帰るふりをして現に持って帰ったんですけれども、実際それは採点も何もしません。それはすぐに放ってしまいまして、まったくでたらめに、つまり完全ランダムにＩＱランク、知能テストのランクをつけまして、これを中学校へ返送するのです。校長先生はびっくりしますね。あまりにも通常の学業成績と違っていたからです。通常の学業成績が悪いのにＩＱテストの値が非常に高いというようなこともままありますけれども、今回のネオＩＱテストのランキングと通常の成績ランキングとでは、無茶苦茶といっていいほどズレていたんですね。でも、とにかくネオＩＱテストで上位だったものの名前を公表し、励めと言ったりしてるんですね。それで二年間ほど追跡調査するんです。そしたらそのでたらめだったはずのランキングが何割かの確率で当たってくる。つまり、初めは通常成績で全然だめだった子どもが、だんだん良くなっていくんです。というような、非常におもしろい実験なわけです。どうしてそんなことになるんでしょうか。

テストの後ではたとえば先生ですが、全然扱いを変えざるをえないところがあるわけですね。何々君を指名して、いままでなら全然できの悪い子ですから、その子に対するイメージがあって、その次の人を指名し直したりしていたのが、このネオーＩＱテストでは上位にきたんですから、そうはできなくなる。ネオーＩＱテストの後、また同じようにその生徒を当てたとするとどうでしょう。またできない。何も本当にＩＱが上がったわけではありませんから、やっぱりできないわけです。ところが、この間のネオーＩＱテストでは、クラスで上から三番だった、となりますと、「本当にこんなにやさしい問題ができないんですか。本当に……」というような具合で、いままでだったら、君はまあ仕方がないと当然視できていたのが、そうはいかなくなる。できないのは本当だろうか、ひょっとしたら私の教育方法に根本的な欠陥があるんではなかろうか……、と先生のほうが心配になります。「あなたちょっと残りなさい」というようなことで残して、特別に教えるといったことも、あったかもしれません。

そういうかたちで、その生徒の周囲の者はネオーＩＱテストに騙されまして、この子どもについてのイメージを変えていく。いままで、できないできないで見捨てていたのが、そういうようにはできないわけですね。ちょっと考えて、なかには、昔のエジソンの話を想い出すものも出てきたりします。「あのエジソンも学校の成績は悪かったらしいな。案外、すごく頭のいいやつってのは、こんなやさしいあほみたいな問題はやらんらしいな」というようなことになってきますと、もうその子にとってはしめたものでございますね。

こうして、しだいにみんながそういうようにその生徒を扱ってゆく。少しずつ、秀才ではないかという期待のまなざしを彼に送りはじめる。いままでは落ちこぼれに違いないという軽蔑のまなざしで見ていたのが、今度はひょっとしたらという期待のまなざしを送りはじめる。すると、ひょっとしたらがひょっとしたことになってゆくわけですね。そしてしだいにその子自身も、いままでは完全にだめだと思っていたセルフ・イメージを自分で変えていって、ひょっとしたら私もやればできるのではないかと思うようになります。そして周囲もそういう期待のまなざしを注ぎ続ける。そしてそれがある種の予言になりまして、「あなたは必ず将来、偉い人になるに違いない」という予言となって、いわば、自己成就してゆくわけです。

『窓ぎわのトットちゃん』という黒柳徹子さんの書いたものがございますが、一つ感心いたしましたのは、ある学校でものすごくかわった生徒だったたから放校されて別の学校に入れられてしまうんですね。その別の学校でもまた変なことばかりやっているんですね。それを校長先生は呼びつけて一所懸命お説教される。そのお説教される後に、もう泣かんばかりにして「本当はあなたはいい子なのにねえ」とそう言って、何度も何度もくり返されるんだそうです。それが何遍も重なっているうちに、「本当はあなたはいい子なのに……」というその校長先生の言葉がピタッとどこかで貼りついたようになったと書いておられるんですね。こういうところにいま、お話し申し上げている主題がでておるわけでして、あるいは、われわれが仏のまなざしの中に育つというのはどんなことだろうかという意味もあるわけです。

「本当はあなたはいい子やのにねえ」という、そういう期待、そういうまなざしの中で育てられたことが、いずれの日にか、黒柳さんが書いているように、その言葉がいつの日にか生きてくる。あるいは、先のネオーQテストで言えば、「あなたは本当は頭がいいんだ」ということをいろんな権威を使って無理やりでっちあげたんですが、しかしその嘘の中にも、教育とは何かを考えさせる真実（まこと）があります。これを、宗門とか寺とかいう場面で生かせないはずはない。「あなたは本当はいい子なのに……」という、しかもそれを最初の論点で申したメタ・メッセージ、自然に漏れているというかたちで相手に感じさせる。こういうところに、社会心理学から申して仏の中で育てるとか、仏様の前で育ててあげるとかいうことの意味があろうかと考えておるのでございます。

いささか大仰な話になるかもしれませんけれど、『涅槃経』にあるアジャセ王の救済場面を想ってください。釈尊が、月愛三昧（がつあいざんまい）のうちに、王の上に注がれる光。それが王の病を癒したと語られていますね……。私は、この光が、やはりメタ・メッセージ（仏のまなざし）であろうと思っています。罪におののく王に向けて、仏は「本当はいい子なのに……」と、ともに悲泣されたのではないかしらと、そんなふうに思ったりします。

「良寛」とは誰か――エッセー①

はじめに

親鸞の場合ほどではないにせよ、良寛ブームも、過去に何度かの画期があったと言われる。偉大な人物は、各時代ごとに、それにふさわしい形に焼き直され、鋳像されるものであるらしい。社会的構成（social construction）としての「良寛」。ここでは、親鸞のそれと対比しつつ、今にも産出され続ける良寛イメージについて考えてみる。

「伝統の発明」としての良寛

近頃、私たち（社会学者）の間で、伝統の発明（invention of traditions）という分析視角がよく話題になる。「皇室のよき伝統」などと、思い込まれているものの多くが、実は、皇室の、むしろ近代化過程で捏造されたものにすぎない。婚礼や葬礼に際して顕在化する、あの神道流儀が、第一、伊藤博文らによって新たに「発明された伝統」であることはすでに周知のところであろう。

こんな具合に、歴史的事実の暴露が、この分析視角の持ち味なのだが、もう少しつっ込んで言えば、伝統化と近代化は、その実、同時並行するプロセスの陰と陽（↓同じコインの裏表）だと見る歴史観を内包している。いや、歴史観である以上に、二項対称概念一般についての論理的逆説をも含意している。

一方が減ずれば、他方が増える。そんな単純な反比例関係にはないような、二項対称概念のあり方。ここを知っておくことは、歴史を見る時だけではなく、たとえば「自力」と「他力」のような、信心にまつわるキー・コンセプトを把握するにも大切なポイントだろうと、私は思う。つまり「自力なき他力」も間違いなら、「他力なき自力」も駄目。いずれにしろ、両者の関係は、相互補強的ではあっても相互排他的ではないわけだ。少なくとも、親鸞理解としては……。

ただし、このあたりの機微に触れるのは、またのことにして、ここではとりあえず、「親鸞」や「良寛」など、歴史的人物についての大衆イメージ、これもまた近代に「発明された伝統」の一種かもしれない、と問いかけてみよう。

実は、親鸞イメージについては、これまでに何度か書いたことがある。倉田百三や吉川英治、こういった人気作家の手になる「親鸞」も、清沢満之や三木清など哲学者に由来する「親鸞」も、いずれにせよ、底に流れる近代日本の価値観を投影したものである点では、さしたる違いはない。日本型「禁欲のエートス」とでも呼ぶか、これを反映した〝ご苦労さんイメージ〟や〝ガンバリズム親鸞〟が幅をきかせてきた。苦難の人生を、ひたすらまじめに、そして知的に求道し続けた人。鑽仰しているようでいて、その実、近代知識人にも追体験できる範囲に、親鸞をとじ込めてきたのではないか、とも疑える。

一方、信濃から常陸にかけては、あの弘法大師にまつわるのと同形の、もっとデモーニッシュな霊能者を想わせる「親鸞伝説」がかすかな痕跡をとどめている。近代人には、こちらのほうがつくり話めいて見えるけれど、民衆の求めに応じて造形されるという点では、近代文化人が発明した

「親鸞」とも本質的な差異はない。

要は、どのイメージが本ものに近いか、などという問いかけは棚上げして、むしろ各イメージのリアリティが、時々にどうして生成するか、その本ものらしさを支えたものは何か。検討課題をこう設定し直すところに、「社会構成」説の面白さがある。

相馬御風の「良寛」

前置きが長くなった。いそいで「良寛」について考えてみよう。それまでローカルには知られていた良寛が、一躍、全国レベルの、それもすごく偉い坊さんに成ったのは、大正時代、相馬御風の功績だという人がいる。なるほど、相馬昌治の名で世に出て、ロングセラーとなる『大愚良寛』(春陽堂)が大正七(一九一八)年の出版、御風はその後も良寛を研究し続け、生涯に単行本だけでも二一冊を出版しているという。

もちろん、良寛イメージのすべてが御風に依るというわけではなかろう。子どもとかくれんぼうをしたり、まりつきをして遊んだりといった、あの「童心の人」というイメージが御風のおかげで、特段のリアリティをもつようになったというのである。このあたりの経緯を、大阪大学の河原和枝さんは、「童心の時代――大正期童心主義をめぐって」(『ソシオロジ』36-3、一九九二年)という興味深い論稿中に、「良寛伝説の発明」と呼んで書いている。

『大愚良寛』が世に出る大正七年といえば、児童文学雑誌『赤い鳥』が創刊され、小川未明、秋田雨雀そして北原白秋ら、後に「童心主義文学」と呼ばれる文壇の一風潮が形成されつつあった頃である。先立って明治末に、あの『梁塵秘抄』が発見され、有名なフレーズ「遊びをせんとや生まれけむ……遊ぶ子供の声聞けば、わが身さへこそゆるがるれ」が、文壇風潮にも大きな刺激を与えたらしい。

もっとも御風自身が、「良寛」の童心にたどりつくには、彼個人にまつわる別の事情があった。よく知られているように、相馬御風は、島村抱月のもとで『早稲田文学』の編集に参画、早稲田の校歌「都の西北」や、松井須磨子主演の「復活」で歌われた「カチューシャの歌」(大正三年、抱月との合作)を作詞、大正初期には「自分でも意外なほど所謂世間受けがよかった」人である。それが大正五年、文壇の寵児たる己れを厳しく自己批判した『還元録』(春陽堂)を書き、突然郷里の糸魚川に隠遁してしまう。

大杉栄らとの交友の結果、当時の社会主義運動にひき込まれそうになっていたとか、子どもを亡くすなど家庭のごたごたがあったとか、この隠遁にはいろんな事情があったようだが、とにかく「郷里の幼な友達の中に、人間的調和の健全な姿を見出す」という「凡人主義」を唱え、退住してすぐさま良寛の研究にも着手していた。

「愛の人」から「童心の人」へ

なにゆへに家を出でしと折ふしは
　こころに愧じよ墨ぞめの袖

身をすてて世を救ふ人もますものを
　草のいほりにひまもとむとは

『大愚良寛』中、くり返し引かれるこの良寛の二首に、御風は己れの隠遁の意味をも重ね問うたのであろう。「うつせみのうき世のことを思う」心は、人一倍に烈しかった彼(良寛)でありながらも、強く外に向かって戦うべく彼の性はあまりに弱かった、とも書いている。

「けれども、かの主我的行動によって、進み入った良寛の未来には驚くべき広大な別個の世界が展けて居た。それは実に美妙なる愛の世界であった。……『弱きに徹して強くなる道を選んだ』彼は、かくしてつひに最も強き者ほか住むことの出来ない広大な愛の世界に住むことが出来るようになった」（九二頁）。ここには、早くに心酔したトルストイと、『還元録』に示した己れ（おの）とが、ほとんどそのままに吐露されているといって過言ではあるまい。

だが、この御風の「愛の人」良寛は、当時わき起こっていた童心主義の風潮と見事に結びつき、「子どもとまりつきをする、童心の人」良寛を、たちまち全国に普及することになったと河原さんは言っている。

『良寛詩集』などのほか御風自身も、多くの童話や童謡を創作し、今も親しまれている「春よ来い」は大正一二（一九二三）年に発表されている。

ずっと後、昭和一二（一九三七）年になって、国定教科書『小学国語読本巻九』に、良寛の歌がはじめて採用されるが、三首のうち二首が、子どもとまりつきをする様子をうたったものである。

かすみ立つ長き春日を子どもらと
　手まりつきつつこの日くらしつ
子どもらと手まりつきつつこの里に
　あそぶ春日はくれずともよし

「鎮めの文化」と良寛

今にも良寛ブームはあるという。春秋社が吉本隆明氏の『良寛』を出版すれば、講談社は『浄土仏教の思想・13』にも、大峯顕氏の「良寛――その詩と宗教」を収載しているように。どちらも読みごたえのある良寛論であるが、それというのも、時代が新たな「良寛」を求めている証拠でもあるだろう。

「俗にも非ず、沙門にも非ず」。ただひたすら消え入るように生きた「羞恥の人」。大峯顕氏も強調するこのあたりの「良寛」が、バブルはじけた今の時代に、とくに召喚されるイメージだろうか。あるいは、吉本隆明氏の『良寛』中、対談者水上勉氏の口から出る「慈悲の景色」へのノスタルジイ。このあたりが、伝統的良寛像への回帰を促すのだろうか。

　私の理解では、いずれにせよ人は今、鎮まりたいと願っているように見える。とりわけ「一億総中流化」社会の悲しさ。わずかの差に一喜一憂する（身分社会ではない、むしろ）〝微分社会〟に、人びとはようやく、疲れの色を濃くしているように見える。もう一つ、もっぱら延命をことととしてきた、〝いのちガンバリズム〟に対しても、人びとは疲労困憊からか、病院への怨嗟の声をすら漏らすようになってきた、この「死ねない時代」。

　いずれにせよ、私の言う「鎮めの文化」(calming culture)、あるいは仏教に言われた「諦観」の、再賦活なりパラフレーズなりが良寛ブームを下支えする今の世の集合心性であろう。

「癒しの人」良寛

五合庵時代を代表するとも言われる有名な詩。

　生涯　身を立つるに懶く（ものう）
　騰々（とうとう）として天真に任す
　嚢中（のうちゅう）　三升の米
　炉辺（ろへん）　一束の薪
　誰か問わん　迷悟の跡
　何ぞ知らん　名利の塵
　夜雨草庵の裡（うち）
　双脚　等閑に伸ばす

ここにある「騰々として天真に任す」が、斎藤茂吉をして、「良寛の歌の至上境」とも言わせたこんな歌を生みだす。

むらぎもの心楽しも春の日に
鳥のむらがり遊ぶを見れば

同じく、茂吉が「何とも云へないやさしい心の歌である」と絶讃したこの歌はどうだろう。

月よみの光を待ちてかへりませ
山路は栗のいがの多きに

たしかに良寛には、他の禅者にはない独特の感性があったように見える。孤高にあって、なお人へのなつかしさを感じさせるような……。とりわけ、〝家庭サービス〟といった奇妙な言葉を生みだすような今の家族事情。〝敷居をまたいで一歩外に出て〟はじめてホッとする。そんな気疲れが蔓延する今の中年たちに、「良寛」は、癒すに足る何ものかをこれからも提供し続けるのだろう。

よのなかにまじらぬとにはあらねども
ひとり遊びぞ我はまされる

「私」って誰？——エッセー②

俗にお調子者、大阪弁でイチビリ(注)と呼ぶのは、ご当人はだれかの期待に応えているつもりらしいが、はた目にはいささか演技過剰になっている場合である。老人が素直でないのは、むしろ頑固という点から説明しなければなるまいけれど、少年のつっぱりなどは、だいたい、このイチビリの線で考えたほうがよくわかる。

非行は少年たちの漂流（drift）だと書いたD・マッツァは、その理由がここにいうイチビリであることを正しく指摘している。自己のアイデンティティに不安のある少年たちは、いろんな期待が交差するなかを、その都度どれかに阿る（おもね）ような仕方で浮動していく。よく似たもの同士が集まっているところですから、男らしい〝おとこ〟なのかという不安（masculinity anxiety）、あるいは本当の仲間として認められているのかという不安（membership anxiety）などのために、彼らは思い込みによる一種の過同調に陥りやすい。仲間同士たがいに観衆になりあうことで、その面前での演技、いわば〝ええかっこしい〟もよりエスカレートする。

マッツァが強調するのは、仲間うちでたがいの期待が過度（オーバー）に実現されるという点であるが、同じことはおとなを含む一般観衆の面前においても生じている。とりわけマスコミがふりまく期待やイメージ。非行少年はそのイメージにあわせて過度に実演し、一般観衆の期待に阿るのである。これがイチビリでなくて何だろう。物笑いの種でしかなくとも、なお観衆の注目があるかぎり、彼らは悲しいピエロ役をも引き受ける。教室内でのあの冷たい無関心にかわって、街頭には物見高い観衆がいる。「そら、もっと非行少年らしくやれ……、テレビや映画ではもっと派手にやってるぜ」。

どんな演技も協力的な観衆の前でしか成功しない。いや、どんなつっぱり演技も協力的な観衆の前でなら成功する。

期待と演技

期待に応えてなされている非行といえば、多くのおとなは、そんな期待などしたこともないと反論されよう。だが、意外なところで子どもは、おとなの意識すらされていない期待を映しとっているものだ。今度は飲酒の例で考えよう。まったく体が受けつけないという人もあるが、多くはある程度練習するとしだいに強くなる。

酒も飲めない男は駄目な奴という変な幻想をもっている女性がいる。「朝まらのたたぬ男に金貸すな」の類だから、自分の夫が飲めない場合、それをあからさまに言いたてる妻はいないだろう。だが、どこかで、「やれやれ……これでは会社で出世もできないはず……」などと思っている。この思いをやさしい息子は鋭敏に感じとる。高校生ぐらいになると時に飲む機会もできる。当然、無理をして飲むから急性アル中で苦しむわけだが、母親にとっては武勇伝を聞く思いだ。口では、「高校生のくせに何ですか」などと怒ったふりはするものの……。

この息子がイチビリなら、もういけない。大学生にでもなろうものなら、先輩の期待も加わって、無理な〝飲めるふり〟はやがて演技ですらなくなるだろう。無理な演技でないのなら、観衆の期待（のまなざし）ももはや不要というわけだ。本もののアル中になった息子のなさけない姿に、年とった母親は首をかしげて嘆くだろう。「お父さんは全然飲めなかった人なのに」。

　どちらかといえば、女の子は語学にくらべて数学が不得手。大学の数学教室などではすぐれた女性研究者が多いことを考えると、これもたいへんおかしな現象である。ここにも、女の子が周囲の期待に応えた（↓甘えた）結果だと思えるふしがある。口では怒っていても、たいていの親はどこかで「数学のできる女の子……かえって〝もらい手〟がネェ……」などと考えているのではないか。やさしい（?）女の子は、親のこの期待に阿ることで〝案の定〟数学を不得手にしてしまう。文科系の学部にいる女子学生のなかに、「本当は理科系に向いているのに……」と思える人は少なくない。

　精神病院には、奇怪な症状をわざと演じて、新米の見習い看護婦が正常な行動だけを見てがっかりしないよう気をつかう患者がいる。

と、E・ゴフマンは書いているが、そういうやさしい（↓イチビリな）患者は、どうやら精神病院の外にもいっぱい在る（い）ということである。

阪大生はイモい？

　阪大の学生たちは、みずから「阪大生はダサイ！　イモイ！　スケールが小さい」などとよく言う。「イモイって?.?」と尋ねると、「何となくわかるんじゃないですか……先生は京大なんだから……」という次第。なるほど、同じ関西にある京大が、彼らの「準拠集団」なのか、といちおうは納得するのだが、いささか気になるところもある。関西弁で言う〝もっさりしてる〟面はまあいいとして、「スケールが小さい」という自己イメージはよろしくない。一度(ひとたび)自分で思い込んでしまうと、いざという時に縮んでしまって、やがて本当に「スケールの小さい」人間になってしまうからである。社会学ではこんな言い方もする。「ひとがある状況を真実(リアル)であると定義すると、その状況は結果においても真実(リアル)である」と。ここに言われる状況定義で一番大切なものが、もちろん自分自身についての「自己暗示」である。なるほど、自分を大きく見せる演技の面で、京大生の方が少しうまいのかもしれない。それなら阪大生ももっと遠慮なく演じればいいのである。演技なんてイヤ！、本当の自分に忠実に生きたい、などとそれこそイモイ考えは棄てた方がいい。何故なら、「本当の自分」こそ勝手な思い込みの最(さい)たるものだし、加えて、一番夢中になって、またもっとも持続的に演じている「自分」にすぎないからだ。

はじめは演技で結構。大きく見せる風を装っていれば、本当にスケールの大きい人間になれる。ただし、協力的な観衆が是非いてくれる必要がある。あなたをスケールの大きい人、と認めてくれる友達を多くもてばいいだけのことだから、そんなにむずかしいことではないが……。発想の転換と言われるが、もっとも変えにくいのは、自分自身についての思い込みである。〝モテない〟にしろ、〝数学はにが手〟にしろ、はじめは思い込みにすぎなかったものが、今では本当にそうなってしまっている（と、またまた思い込んでいる）から厄介なのである。〝どうせ、オレなんか……〟と開き直った瞬間から、モテない「自分」や数学のできない「自分」を、あなたは実にうまく演じるようになる。「道化＝イチビリ」の間はまだいいとして、ついには（あなたが現にそう思い込んでいるように）、それが本当の自分になってしまうのである。くり返すが、「ある自分を真実と定義すれば、その自分は結果においても真実である」。高校を卒業すれば、全然違った世界が開けている。是非とも発想を転換して、全然違った「自分」を演じてみてご覧。意外に協力的な観衆にはうけるものだから。

印象操作の時代

いま、二一世紀を目前にしながら、あるべき（理想の）未来社会について、ぼくらの想像力（＝創造力）はあまりにも貧しい。豊かになればなるほど、ユートピア・イメージのほうはいよいよ涸渇していくかのようである。あの世の浄土にしろ、地上の楽園にしろ、昔の人びとのほうがよほど夢あるユートピアを想起できていたように思うのだが……。労働を通して歴史に参画する、という発想はたしかK・マルクスらの考えだったように思うが、それにしては、肝心の歴史（＝ストーリー）の行く末が霧にかすんで覚束ない。

ぼくらのしている社会学の分野でも、かつては、体制論とかシステム論とか、もっと総合的かつマクロ・レベルのストーリーを創っていたように思うのだが、いまでは日常世界の社会学とか、ミクロ・スコピックな象徴的相互作用論とか、何やらちまちました議論が幅をきかせている。おそらく、終末的とも世紀末的とも呼ばれる不透明感が、現象学派社会学の通奏底音でもあるのだろう。社会は進化するという進歩史観はとうの昔になく、ついに楽観論を捨てきれなかったT・パーソンズらの体系＝機能主義も、いち早く破産せざるをえなかった。

すでに一九五〇年代、C・W・ミルズやD・リースマンらの「新中産階級論」において、生産のエートスに代わる消費のエートスがいわれ、職人の時代に代わるセールスマンの時代がいわれていた。外見(appearance)を無視して仕事(role)に打ち込めた職人(craftsmanship)の時代と、むしろ仕事に打ち込んでいるふりをせよ、いや仕事に打ち込んでいる人(character)を演じよ、と求められるいまのセールスマン(salesmanship)の時代と。この落差をとらえて、D・J・ブーアスティンは、現代をトートロジーの時代であるとも表現した。「彼が経営者であるのは、彼に経営能力があるからではなく、彼が経営者らしく見えるからだ」と。A・W・グールドナーもいっている。「いまや人びとは、ものをつくる(produce)のではなく、各場面に応じた〝人物〟をプロデュースしあうのである」と。個人主義の最後のよりどころ、自己アイデンティティそのものが解体しはじめ、E・ゴフマンにいたると、本ものの自己、それこそ演技的印象操作ないし社会的構成の最たるものであり、各人の回避儀礼(avoidance ritual)によってまつり上げられている〝幻影(マナ)〟にすぎないのだと主張されている。

うそとまこと、本ものと演技(ふり)、オリジナルとコピーなど、二つの間の境界がいまほどぼやけてしまった時代もめずらしい。こんなとき、ぼくらにできることといえば、本もの幻想からいち早く脱け出して、「自分」の演技を自分の目で楽しめるような、一種の鑑賞眼を養うことだ。ゴフマンのいう役割距離(role distance)の機微もそうだけれども、もっと手近に、司馬遼太郎さんの小説でも、その主人公が、まるで舞台演劇でも眺めるような目で己れの実人生を鑑賞する場面がいくらもある。とりわけ実在の歴史的人物、それも悲劇的な結末を予感する主人公が、当の「自分」を、ドラマの上につき離して眺めるあの瞬間、いかにも司馬さんらしい手法に、ぼくら読者のほうもほっと安堵するような気分になるから不思議である。たった一つの「自分（ストーリー）」に無我夢中になるのではなく、多くの「自分」をせいいっぱい演じてみる、そしてそのひとつひとつの「自分」を愛情をもって鑑賞してみる。このあたりに、〝終末〟を楽しむ一つのこつがあるのではないか、と私は思う。

(注) イチビリとは?

〈イチビリ〉の語源は、「逸ぶる」であるという説と、いや「市ぶる」ではないか、という説の二つがあるらしい。もちろん語源論など、たいていいい加減なものだから、これらの説もどこまで信じていいかはわからない。要は今に大阪弁でいうイチビリの語感が、それでよく説明できさえすればいいのである。ただし、「逸ぶる」の方は何でもないが、「市ぶる」の方には少々説明がいる。

この場合の市は斎の意味であり、したがって、昔、神に仕えた巫女（みこ）や稚児の「ふり」からきていると考えてもらえればいい。虎キチを自称する阪神ファンの、何かに憑（つ）かれたようなあの〝法悦〟ぶりは、「逸ぶる」より「市ぶる」の方に近いといえるかもしれない。

強いて定義すれば、イチビリとは、一見何の役にもたたないのに〝おかしな人〟をみずから演じて、観客に阿ることとでもいうよりない。

「矜持（きょうじ）ある敗北」とイエの守り——昔の〝尋卒〟、今の〝高卒〟——エッセー③

ある調査によると、子育ての期間中、母親が子どもに対してもっとも多く使った言葉は「早く、早く」だったという。家族の中にまで競争社会の「がんばる主義」（「禁欲のエートス」の日本版）が入りこんでいるからだろうか……。〝お受験〟に追われる「教育家族」の風景をユーモラスに描いたテレビドラマも話題になった。

一方、話題になっているといえば、永六輔氏の『大往生』が爆発的に売れているという。収録されているエッセー「死・父と子」によれば、永六輔氏の父（忠順氏）は九〇歳、「家族に囲まれて、これ以上の死に方はないという臨終だった」らしい。「『死んでみせる』ということを父は鮮やかに、見事に見せてくれた」とも書いてある。

そういえば、芹沢俊介氏の『平成〈家族〉問題集』にも、父性って何だろう？　との問いかけに応えるかたちで、氏はこんなふうに言っている。「父親の子どもに対する仕事というのは、ふたつあると思う。このふたつをやり遂げられたなら、あとのことは何ひとつできなくても、父だと言えるような仕事である。……ひとつは、子ども（↓正しくは男子）に最初の性的な挫折を与えるという仕事であり、もうひとつは子どもの前で子どもより先に死ぬという仕事である」と。

いささか古風な「家父長」のモデル・イメージが、つい出てしまっているのが気になるけれど、そうかといって、こういったノスタルジィ以外に「父」を語るどんな言説があるのかと問われれば、誰しも困ってしまうのも事実だろう。そんなことより、「死んでみせる」ということを、父の役割として、両氏がともに力説した点に注目したい。「敗北者の高貴」(nobility of failure) とでも言うか、人の命そのものがもつ矜持(きょうじ)のようなものこそ、父が身をもって教えるべきことだと、二人は異口同音に言われているようにみえるからだ。

一方の母親が、世に出るノウハウを「早く、早く」と教え込んでいるとして、他方の父親は、むしろ世を出るノウハウを子どもらに教えられればいい。この意外な図柄に、案外、今の家族問題の核心が潜んでいるのかもしれない。私の言う「煽る文化(ウォーマー)と鎮める文化(クーラー)」。これを母なるものと父なるものに関連づけてみると……。『ターミナル家族』(NTT出版)編集時に言いたかったことも、いま少しは、はっきり見えてくるかもしれない。

*

昔の「軍国の母」が今では「企業戦士の母」なのか。年老いてのち、昔の母が「国に盗(と)られた……」と歎(なげ)いたところを、今の母は、「会社、会社で、イエのことなんか見向きもしてくれへん……」と歎いている。

「昔の特攻隊と違って、生きとるだけましやないですか」と筆者。

「苦労して一流大学へ、一流企業へ、ついでに一流の嫁はんまでもろたったのに……これでは何のためかわかりまへんで」。

「確か、外国支社の支社長にまでなられてんですよねェ……」。

「そうでんねん。嫁はんはメイド付きの家で、それこそ三食昼寝でっせ」。

「まさか……。子たちの教育だって外国暮らしではたいへんでしょうに……」。

「へー、へー、ウチのほうへはそう言うといて、実は先生、こないだも嫁の実家のほうへは孫も連れて帰ったはりまんねんがな……アホらしいて……」。

そうなのだ、昔はけなげな嫁が、銃後の守りを、舅・姑とも共にしてくれたぶん、うちのイエのほうも少しは慰められたろうに、今は根こそぎ盗(と)られた感じ、アホらしいとしか言いようもないのであろう。

「だから、子どもなんて、四、五年だけ楽しめる耐久消費財のようなもの、なんて言われてるんですョ」。

「そりゃ、若い間だけの話でっせ。とくに面倒みてくれなんて言うてんのと違いますがな……。気持ちでっせ、気持ち！」。

「わかります。そういえば、今の若い連中でも、『一人っ子なら女の子』とはっきりしてるんですよね……。ということは、やっぱり己(おの)れの老後は、その一人娘に頼りたいわけね。おたくの嫁さんも確か一人娘さんと違いました？……」。

「そうでんねん……。そやけど、わてかてそうでっせ。でも、こっちのお姑(かあ)はんによう仕えてきましたで……。実家の父が倒れた時も、遠慮してよう行きまへんでしたがな……」。

「そういうあんさんの悲しみを、きっと息子さんは、同情してようわかってたんかもしれませんよ」。

「それやったら、よけわてらのことももっと大事に思うてくれな……」。

「いや、母親に頭の上がらんような駄目おやじにはなりとうない、そんな息子さんの思いが、かえってあだになって嫁さんのほうをつけ上がらせてると言ってるんですよ」。

「わてら、あがったりでんなあ……」。

「ええ、立派な息子さんほど、〝マザ・コン〟とか〝冬彦さん〟とか言われるのを、ひどく気にしますからねェ……。

ところで、ほれ、高校時代に息子さんと同級生だった、あの田中さんとこの息子」。

「へーへー、あの勉強のでけへん子……、確か高校だけで上へは行かへんかったんと違いまっか？」。

「そうそう。でも、最近、ご両親が引退して、あのレストラン・チェーンを引き継ぎましてね、なかなかようやっとるんですよ」。

「……」。

「それに面白いですねェ。お嫁さんというのが、なんでも料理学校で知りあった人やそうですが、ようご両親に仕えて、お客の評判もすごくいいんですよ……」。

「そうでっか、親ごさんも喜んではりまっしゃろうなァ……。うちの人ら、可哀想に、『こんな商売、どうせ継ぐもんもおらんさかい』言うて、この頃はやる気も起こらんようですもんなァ……」。

「あの田中君とこのお父さんは、もともとはっきり言うてられたんですョ。『塾なんか行かして、一流大学にでもはいられてみなはれ、そんなもん、うちの役にはなんにもなりまへんがな』って。お嫁さんにも、『ちゃんとうちの人間にならなあかん』とずいぶん厳しくあたられるみたいですしねェ……」。

「それで、うまいこといってるなんて、うらやましいでんなァ……」。

「きっとお嫁さんも、わりと古い〝家風〟の中で育たれたんでしょうョ……」。

「〝家風〟やなんて、先生もお古い……」。

「たしかに、〝家風〟なんて、今の小さな家族には似あわん言葉ですよねェ……。でも、おたくもそうですけど、お仏壇があって、先祖の供養を命日ごとにちゃんとしはって……。こんなのは世界でも珍しい家族風景なんですよ。〝ホーム・チャペル〟があって〝ホーム・ミサ〟を定期的にやっとるようなもんですから……」。

「そやかて、息子なんて小さい時からそんなもん見向きもしまへんでしたがなァ」。

「そら、あんさん方が教えなかったからですよ。そんな暇あったら塾へ行け、みたいに、あんさん方がむしろ世間一般の風潮に負けはったんと違いますか……」。

「学校の先生が第一、『この子はよく出来る、塾へ行かせたら伸びます』なんて言わはったんですがな……」。

「そうでしょうよ。学校の先生なんて、それこそ〝家風〟も何もない家庭で育っとるから、昔も今も、結果的には〝お国の手先〟みたいな役まわりをしよるんですよ。あの田中君のお父さんも、いっときはずいぶん悩んだらしいですよ。『大学なんか行かんでもうちはええんや』言うたら、『それでも父親か……』と教師になじられたとかでねェ……」。

「そういえば、あのお父さん、保護者会の時でも、よう怒ったはりましたなァ……」。

「イエの面子にかかわる、てなもんでしょうけど、案外、あんさん方のほうが、そういうイエのプライドを棄ててしまってたんと違いますか。そこを教師たちにつけ込まれた……。息子さんも、イエの〝家風〟をもう少し身につけてたら、あんな嫁さんとは結婚しなかったかもョ……。まァ、お母さんでは無理ですョ。田中君とこでもそうだけれど、やっぱり父親がよほどしっかりしてないと、結果として息子を〝社会〟に盗られるような仕儀にもなるんですヨ。それにしても、軍隊にとられた経験もあるこちらのご主人が、自分の息子を今の〝企業社会〟にとられてしまうなんて、皮肉なことですよねェ」。

＊

大阪弁で、いささか恐縮なやりとりを書いたけれど、実は私は浄土真宗の寺院住職。「月忌詣り」と呼ぶ〝ホーム・サービス〟の折に、〝ご門徒さん〟たちとしばしばする会話を、ほぼそのまま再録させてもらったのである。芹沢氏の『平成〈家族〉問題集』、その〝はじめに〟「家族はどの程度に教育（権力）に侵食されているだろうか……」とあるが、それに対して筆者なりに応えたつもりでもある。

大阪の零細企業主が主なスポンサーである寺院のあり方が色濃く反映していることは認める。かつ仏壇のある古い家族風景を擁護したい職業上の「利害関心」が働いていることも認める。だが、いわゆる庶民の日常感覚のほうに、学者の家族論にもまさる現状への強い抵抗感を見ることもしばしばであって、常日頃、それに学ぶところ大きい私としては、大まじめにこの再録をしたのも事実である。

明治のはじめ、義務教育令の施行は、徴兵制の施行とも同じく、抗議一揆を招くほど庶民の反発をかったと聞く。教育権力の侵食が、軍事権力の介入と同様、息子や娘が国に盗られることだという点を、庶民はよく察知していた証拠であろう。

実際、つい三〇年ほど以前でも、「一流大学→一流企業」への人材の流れが、実は、自分たちの〝家業〟をつぶす大企業側の陰謀にすぎない、と直感していたわが門徒たちは少なくない。幸か不幸か、息子たちの成績が悪いために、〝高卒〟だけで家業を手伝わせるか、あるいは三流大学卒の次男をも、〝副社長〟に据えるか……、こんな〝英断〟でことを運んだイエのほうが、むしろ今も栄えている。そういえば、この息子たちの祖父たちからは、「わしら〝尋卒〟でっさかい……」とよく聞かされた。彼らの「尋常小学校へしか行ってまへんけど……」というプライドが、今の〝高卒〟の子らにあるのかどうか……。

母親は、世の「煽る文化」につい負けやすいものだが、常日頃いささか厄介な〝頑固おやじ〟が、いざとなれば、マスコミ論壇の言説などものともしない見識を示す場面にもしばしば出くわしてきた。もとより古いイエ（制度）を礼讃する気など毛頭ないけれど、少なくともわが国の庶民のイエ（正しくはウチか……）が保ち続けてきた矜持（プライド）のようなものは、再評価していいと私は思う。永六輔氏のあのぬけぬけと言ってのける精神も、氏のイエの〝家風〟を抜きにしては考えられなかったのだから……。

二——これからの宗教

1　政教分離で、宗教は……？

――フランスの場合には、政治と宗教とがうまく棲み分けできたという話があったのですが、そのお話を先にしていただけますか。

その話をしようと思いますと、先に家族ということも言いたいのですが後にします。私も一昨年の暮れにフランスへ行きました。このときに招いてくださった方々がジャパノロジスト、日本研究者たちでしたので、みなさん日本語がよくおできになったものですから、幸いなことに、あれほど日本語でフランスの碩学といいますか、偉い学者先生方と忌憚なくお話できたことはありませんでした。

その中でいちばん偉い、つまりコレージュ・ド・フランスの教授を務められたベルナール・フランクという方は、幸い奥様が日本人でした。日本語ができる、というような程度のものではないのです。ぼくらより、いっそう日本の文化のことをよくご存じの方々の会に招かれましたので、公用語が日本語だということでした。

◐カトリックと日本宗教の近さ

ぼくは、フランスのカトリックに非常に関心がありましたので、その辺を突っ込みながらお話をしました。ヨーロッパでは、あまりお墓参りなどなさらない、死体などは教会の地下とか、庭へ放り込んでおいて、お参りなんかほとんどしないようにも聞いていたのですが、いまではフィリップ・アリエスなんかも書いてくれていますけれども、近代化ないし世俗化のプロセスの中で、かえって公園墓地みたいなものもできていくし、教会墓地へもよくお参りになる、ということがわかってまいりました。それで、実際に何人かの方々と、連れていっていただいたりもしました。

教会での死者のためのミサにも入れていただきました。有名なのはノートルダム寺院ですね。どうも日本の方は、いわゆるキリスト教の教会というと、イメージとしてピンと浮かぶのは、どっちかというとアメリカ型のプロテスタンティズムの教会なんですね。明治維新以降、日本に入ってきた主力はこっちでしたから。大学などでも、同じミッションと言いましてもプロテスタンティズム教派のものをイメージしやすい。

もう一つ、カトリックといっても、修道会のかたちで日本に入ってこられますから、修道会が建てている教会、あるいは学校が多い。そういう所だけで見ていますとわからないのですが……、まァ巡礼寺院などへ行けばいちばんわかりいい。たとえばフランスで有名なのは、モンマルトルの丘の上にあるサクレ・クールという寺院ですが、こういうのを巡礼寺院と言います。もっとみなさんよくご存じなのは、ルルドの泉の、ピレネー山脈のそばまで行く、ああいう所ですね。教会に違いないのですが、日本の清水寺なんかの雰囲気とたいへんよく似ています。

たとえば水です。清水寺で言えば音羽の滝ですか、その水を飲んだりして清めています。それから、蠟燭とか、線香をして、それで煙を寄せたりして、それで上がっていくと、「あなたの生まれ年は何ですか」とか聞いてもらって、その守り神は法蔵菩薩だとか、虚空蔵菩薩だとか言って、お守り札を三〇〇円か何かでもらってきたりするではないですか、それとまったく同じです。ただ、向こうでは星座か何かで聞かれます。「あなたは何ですか」「獅子座」とか言うと、聖者様が決まっていて守護神になってくださるといった具合に……。

みなさんがよくご存じのように、カトリックはイエスよりも、聖母マリア信仰になってしまっているとよく言うではないですか、あのマリア様が第一聖者です。つまり人でしょう、神ではないです、マリアは人間です。そして、聖者様もみんなそうです。これが、取り次ぎの方々です。神と人間の間を取り次いでくださっている。決して唯一神教、普通にぼくらが言う超越神ではなくて、そういう取り次ぎ者たちをいっぱい持っているのがカトリックという宗教です。

とくに現世の祈り、現世の幸せを祈るのは、だいたいこの聖者たちに向かって祈るわけで、だからこそ、そういうお守り札をペンダントみたいにして、ぶらさげたりしています。そんなことで、日本の旧仏教の寺院風景と、カトリックの巡礼寺院の風景とは本当によく似ているのです。

それから、考え方もよく合っていると思っています。日本仏教というのは、先ほど来縷々説明しましたように、神の絶対性というより、むしろヒューマニズムに近い精神をもっていますが、実はカトリックもそうなんです。とくに近代社会になってくると、ヒューマニズムがどんどん強められて、それを抑えつけることはできなくなってきます。とくにフランスあたりはそうなのです。

◐社会学は、市民宗教の神学

遠回りしましたが先ほどの話に戻しまして、碩学の方々とお話していて、その辺の機微がよくわかるんですね。私は社会学なのですが、社会学者の方もたくさんおられました。実は、私は、エミール・デュルケムというフランスの社会学者に学んで、自分の社会学をつくったような人間です。

このデュルケムが強調していたのは、社会学とは何かということで、それは市民宗教の神学なのだと言うんですね。もちろん、そういうようにズバッとはおっしゃっていませんが、彼は、まず道徳教育論でスタートする学者です。当時は、まだ社会学とは言えなかったようで。それで、ドイツなどへも行っていろいろ勉強されました。そして、しだいに深めていく中で、結局これは市民宗教の神学だと気づくんです。

フランスはノートルダムが総本山で、カトリックはほとんど国民宗教といっていいほどなんです。それで、デュルケムさんが出てきたころは、なお学者の世界も、教育界も、その教会勢力が、もちろんフランス革命でずいぶん傷手を被ったはずなのですけれども、ナポレオン体制とかいろいろな中で、カトリック教会側が非常にうまく立ち回りますので、教育界などは、まだまだ教会のお坊さんたちの勢力が強かったのですね。それで、公教育がそういうものに支配されているのはおかしいということで、彼はキリスト教者をできるだけ外す、そういう公教育の確立と、それを道徳教育の名において彼はつくっていくわけです。それが、彼の社会学なのです。ですから、市民宗教の神学だと言ってまちがいないのですね。「カトリシズム・マイナス・キリスト教」なんて言い方すらありました。

キリスト教は外していくのですが、それでも市民宗教だと言っている意味は、彼の到達する考え方で、宗教が社会現象である以上に、実は「社会」が宗教現象なのだ、という結論を得るからなんです。今ここで立っている見地で言い直しますと、宗教抜きには、どんな社会もありえないという意味です。

先ほどの話にまた戻りますが、合衆国の、そういう政教分離が謳われていながら、しかしながら、たとえば大統領就任演説の内容などには、高いキリスト教的理想というか、そういうものを表現している。この辺りの事情は、たとえば森孝一さんの近著『宗教からよむ「アメリカ」』（講談社）を是非ご覧いただきたいのですが……、要は、キリスト教のロマンというものを無視して政治というのは行われていないということなんですよ。

就任のときに聖書の上に手を置いて宣誓されますが、ああいうものから見ても、これは一種の国民宗教の表明ではないかというので、市民宗教という言い方をロバート・N・ベラーさんなんかはするのです。そして、こういった考え方の基はデュルケムにあるのです。デュルケム自身はユダヤ系と言っていいですので、当時でもカトリックからは差別される側にいて、教会勢力に対して反発しているわけです。やがて彼は、日本で言えば文部大臣、第三共和制の文部大臣クラスの幹部になりますが……。

◐国家は個人を解放する

それで彼が一所懸命やっていることは、教会勢力の影響を除去したかたちでの、フランスにおける道徳教育の確立なのです。そのために社会学というものがあるのだ、ということを言っていくわけです。そういうものを、ぼくも学んでいきました。そのデュルケムが、たとえば『社会学講義』という本の中で繰り返し言うのが、国家こそ、この場合は近代国家ですが、国家こそが古い中世の、たとえば教会から個人を救い出した当のもの、あるいは、家父長制的な家から息子たちを解放していったのも実は、近代国家なのだ、という意味のことを言います。

これも今回気がつきました。ネーション・ステートの訳語が「国家」なんですよね。後ろに「家」が付いてしまっている。日本は、国でも擬制の家、メタファとしての家と言うでしょう、国でも戦前は天皇の赤子（せきし）とか言いましたが、国のことすらイエになぞらえて考えてる。デュルケムのエッセイを訳すときでも、だから、みんな国家と訳します。でも、なんとなく合わないのです。いまのようなところを説明されると、どうしても日本は家なのです。日本の近代国家は、文字どおり家が付いてぴったり当たるような国になっていたのです。近代日本の為政者たちの、それが、もくろみだったわけですから、国家という訳語でぴったり当たります。

けれども、デュルケムなどが言っているようなところ、個人を解放する、国家こそが個人主義の担い手なのだということは、どうも国家という訳語を使うとしっくりこない。それで、ぼくは共和制の国とかいろいろ言うのですけれども、やはりニュアンスは伝わりにくいですね。とにかくデュルケムは、とくに近代共和制の国というのは、個性を抑圧するものではなく、むしろ個人の味方ですよと言う。それに対して教会というのは何だということは、ついに彼自身は積極的には言いませんでした。

◐福祉がすすむと、お寺は?

そういうわけで、フランスも共和制国家をどんどん充実させていく。現代の日本も遅ればせながら、同様の福祉国家になってきているわけでしょう。つまり、家族の幸に恵まれない人がいれば、いまは国が救うわけです。おかげで、わが国でもそうなのでして、ために、地方のお寺なんかも、はやらないという言い方はおかしいですが、閑古鳥が鳴いているような仕儀にもなってきます。

日本は、地方のほうが、老人福祉なんかもすごく充実していますよね。東京に住んでいると、かえって恵まれてないほどです。農村へ行きますと、医療面も福祉ホームなどもすごい力を入れて、充実していってますから、むしろ寺へ行くとカネがかかって損や……なんて話にもなります。老人ホームとか病院へ行けば「ただでんがな……」と。なんとなくそういう感じがするらしいです。それはそうですね、いろいろな保険も利きますし……。ところが、お寺へ行ったら取られるばかりだと。

従来なら教団がやっていた福祉政策を、いまは全部国家が吸い上げているわけです。そうすると、人びとも国の恩恵に浴する機会のほうが多いわけです。お寺の恩恵に浴する機会などというのは葬式のときしかないというようなことになって、地方へ行くほど、お年寄りがお寺へ来なくなってきています。

フランスはたしかに個人主義の国です。運転の仕方なんか見ていてもひどいです。ぼくも、信号を渡るときに、いまでも「これは、フランス式よ」なんて言うのですが、信号が赤でも、車が来てなければホイホイ行くのが当然です。運転する場合でも、とにかく行きたい方向をきちっと定めて、早くライン取りしていったほうがいいような仕組みになっています。そんな中で、うまく秩序が保たれているから立派な国だなと思うのです。それだけ個人主義というものの厚みは日本とは違っている。それで、個性豊かに花を開かせようという努力をしてきました。

デュルケム以来、近代国家とは何かと言ったら、そういう、個性を花開かせるものだと言うのです。個人主義を擁護する。そうすると仕方ない、宗教教団はすることがなくなって締め出されていくはずですよね。それでどこへ行くか、というので先ほどのお話に戻します。

◐家の宗教としてのカトリック

実は、チャペルへ行くときでも、お墓参りでも、みなさん家族一緒にされるのです。私は日本語で説明したのですが、日本では、宗教が家の宗教になってしまった。それで、結局個人を取りこぼしてしまった。第二次世界大戦後になって、ようやく個人の宗教にならなくてはいけないと言い出しました。

日本でたずねると、家は浄土真宗ですとか、曹洞宗ですとかおっしゃいますけれども、「あなたは」と言ったら、「いや、私は別に」とか言って、創価学会だったり、真如苑だったりしていることが多い。だから、家の宗教と個人の宗教が全然別になってしまっているという説明をしました。

第二次大戦後、ぼくの所の教団だけではなくて、旧仏教は、これはいかん、家の宗教から個人の宗教にならなければいけないなどと言っていろいろな運動をしてきたのですけれども、うまくいきませんわという話をしたら、「それは馬鹿だ」と、フランスの学者は言うのです。口をそろえて、「そんなことをするから駄目なんですよ」とおっしゃいました。「私たちもみんな、大村さんが言う意味での、つまり家の宗教としてのカトリックなんですよ、それでいいではないですか」というわけです。国は個人主義を守ればいい、だから宗教は家族主義（ファミリズム）を守ればいい、というようにズバッとおっしゃいましたね。

ところが、彼らの言う家族主義を、日本語にそのまま翻訳しますと、どうしてもあの家（イエ）主義を思い出すのです。たとえば日本では、会社経営までが家的経営とか言われます。それは、従業員丸抱えの、上司の引越しまで部下は動員されている、あんなのが日本の美風だという古い人も、なかにはいますが、他方には、だから駄目なんだという人も多いわけです。そういう意味での家族主義を、私たちはすぐ思い出してしまうのです。先ほどの、国が家だというのと同じ問題なんです。

◐パブリック・ファミリズム

そういうことでぼくもちょっと迷いますが、実はアメリカ合衆国のある学者の書物の中にも、「ファミリズム」という言葉を見出しました。それをネタにした本(井上真理子との共編著『ファミリズムの再発見』世界思想社)を出したのですが、そのときもタイトルに、ファミリズムがなんとか日本語にならないかとものすごく考えました。でも、これを家族主義と言いますと、日本では誤解を受けるのではないかということで、最終的にファミリズムは訳さない、その本全体を通しましてファミリズムという言葉で押し通しました。

フランスの人びとがおっしゃってくださった、教会はファミリズムを擁護すればいい、国は個人主義を擁護すればいいのだと。そうですよね、福祉行政を見ましても、原則として、むしろ家族の幸に恵まれない人ほど、国の福祉の対象にしていこう、という意味では原則的に個人主義なのです。むしろ家族で幸せな人は、あまり恩恵に浴さないです。税制とか、いろいろな範囲で見てもそうだと思います。だから、そこは棲み分けたらいいではないか、という意味だと思うのです。

先ほどの話の、政教分離政策という中で、国も教団も、ヒューマニズムに反するような議論はもはやできない。その上で、なおかつ政教分離するというときに、それでは「教」のほうは何をするのか……。国が福祉政策を充実させていけば、宗教がやることというのはだんだんなくなっていくはずなのです。かえって、うさんくさいものにすらなっていく。いちばん贅沢しているのが宗教者だったりすると、ムカムカしてくる。ますますアレルギーを高める。

しかし、実は、福祉行政にも弱みはあります。ある意味では、個人をばらばらにして、いわば、より寂しくして福祉しているようなところがあるのです。そこに、人びとは敏感に感じ取っているものがあるはずです。いたわり合い、慰め合う心をかえって失っていく、そこが福祉の限界です。そうだとすれば、その穴を宗教教団が埋めていく。それは何かと言ったら、いみじくも彼らは家族主義とおっしゃいましたが、日本語ではそのまま通用しませんので、ファミリズムの擁護だと言いたい。

擁護というよりは、そのファミリズムを家に閉じ込めないことだと思うのです。先のアメリカ人の本を見ますと、それを〝パブリック・ファミリズム〟と呼んでいます。ファミリーと言ったら、プライベートな世界だと思うのです。それに〝パブリック・ファミリズム〟などというのは明らかに矛盾した言葉づかいなのですが……。

しかし、いいたいところはわかります。つまり、開いておこうということです。たとえば、企業一家でもいけないのは、あれはパブリックではないからです。実は、企業エゴイズムにすぎないのです。だから、戦前の天皇の赤子が、アジアの方々にとっては鬼畜に見えたように、現在の企業一家の子らも、エコノミック・アニマルに見えるわけです。上司を親とも慕っておられる、敬っておられる、あるいは社長のことを親より以上に敬っているぐらいの家族主義者なのですが、それが外国の人にはエコノミック・アニマルに見えるという意味は、要は、そこにパブリックの精神がないということなのです。たんなるエゴイズムで、それが拡大しているだけなのです。それと違うということを、〝パブリック・ファミリズム〟という変な言葉で言いたいのだと思います。

◐四海の信心の人はみな兄弟

そう考えますと、わが浄土真宗でも、まさに、それをやってきたという実績はあるのです。たとえば蓮如という人もしばしば繰り返しましたし、もとは親鸞にもあるのですが、「四海の信心の人はみな兄弟」というのです。これは、まさしく〝パブリック・ファミリズム〟をめざした言葉です。もともと日本仏教の大きな特徴は、たしかに出家主義で入ってきたはずのものを在家主義に切り替えたところにあります。とくに浄土真宗は、開祖自身が率先して妻帯しますね。妻帯すれば子どもができるわけです。

ここに、彼のたいへんな決断があっただろうと思います。ここが法然と違うところだとぼくはよく言うのですが、要は、身をもって家族もちの悲しさを味わい、かつその上で悟るとはどういうことか……ここを徹底的に考えた人だと思うのです。

●英昭(えいしょう)坊さん閑話6　会えてよかったね●

私の友人で、やはり大阪の寺の息子ですが、幸い次男坊だった人がいます。寺を継ぐこともあるまいということで、東京で学生生活を送ったあと某放送局に就職して結構よくやっていました。しばらくして大阪支社に転勤になりましたので、キタの飲み屋でよく一緒してたんです。ところが、結婚して坊やもできたころから、「困ったことがあるんョ……」と言いはじめました。「親戚の寺なんやが、富山のほうでネ、そこにはあと継ぎがおらん……。おやじめ、俺にそこを継いでくれと言いだしたんや」。

はじめは、まァそんな程度で、もちろん行く気はなかったんですが、どうやらお父さんのほうは体調をくずし、気弱にもなって泣きおとしにかかられたらしい。「戦時中にはえらい世話になった寺やし、血縁のものの中では、お前しかないんョ、たのむ……」といった感じだったんでしょう。二年ほど、やっさもっさしたあげく、とうとう友人のほうが負けて、会社を辞(や)め、養子縁組の形でその寺へ行きました。もちろん奥さんも、三歳の坊やも一緒にです。

一年ほど経って、久しぶりに飲んだ折、それはそれはひどい愚痴話になりました。「はじめは、まァ好きなように、あなたの流儀でやってくれたらいい……とか言ってたくせに、義父(おやじ)のやつ、近頃じゃまるで鉄仮面みたいなつらで俺をにらんどるんョ。やっぱり養子なんて、よせばよかった……馬鹿だよ俺は……」といった調子。

ところが、やっさもっさの二年ほどがまた過ぎたころ、その日はどうも様子が違っていました。その折、彼はポツンとこんな話をしてくれたんです。坊やが五歳の誕生日ということで、久しぶりに義父母さんとも一緒に夕食をしたんだそうです。初めは、義父さん、例によって鉄仮面だったそうです。でも、孫さんのことは、わりとかわいがっておられたそうです。その坊やが、「このうちで、誰が一番早く生まれたの」と尋ねました。その鉄仮面氏が、「そりゃわしが一番早い」と応え、続いて義母さんも「その次に私やネ」と言われる。仕方ないから、パパも、「その次がわし」と応える。そして、ママが、「その次が私で、それで最後がぼくよネ」と坊やを指したんだそうです。すると、坊やが、「ふーん、みんな会えてよかったね」と言ったそうです。

坊やにすれば、何げない一言だったんでしょうが、真っ先に鉄仮面氏が顔をおおわれたと、ぼくの友人は言います。「まァ、すぐにどうってことはないんだけど、そのときから、俺も義父も、『お互い、この坊やに免じてゆるしあおう』という気がどこかにできたんやろうね」と。

わずか一〇歳の子が、白血病に苦しんだ末に亡くなりましたが、それでも「お父さんとお母さんに会えてよかった……」と言いのこされたとも聞きます。四〇億年、順次の生をくり返してきた限りなき生命が、いまの一瞬に出会い、いまをともにした歓び。それが、ほんの一刹那であればこそ、ぼくらはその刹那を生き切り、その限りで未練なく死に切るのだと思います。

（平成元年ごろ）

◐ 出家主義の否定

親鸞が聖徳太子に、なんで心酔するかというと、聖徳太子が在家の人だからです。この人は出家者ではありません。出家しなかったために、奥方もおられるし、子どもたちもいる。しかも、執行官で、第一線の政治家です。そのために、彼は悲劇に見舞われていくわけです。彼の死後、すぐにジェノサイドで、彼のお后と子どもたちは全部殺されます。

結局聖徳太子信仰のスタートは梅原猛先生がおっしゃったように、怨霊信仰としてのそれなのです。太子の怨霊を恐れて、災いがふりかかってくるのではないかということで、祀り上げたというのが聖徳太子信仰のはじまりだと言われるぐらいです。親鸞は、そういう事跡はもちろんよく知っています。

ところが考え直してみると、大乗仏教の理想とは何だろうか。在家の方々はみんな子どもをつくって、たいてい昔は子どもの一人や二人は亡くされる。これは、とんでもない悲しみのはずです。いまの人でも一緒です。ところが、妻をめとらず、家も捨てて、そういう悲歎の可能性をあらかじめ避けてしまって、そうやって悟って何の値うちがあるのか……という、これが親鸞の根本的な問いかけだと思うのです。このときに彼は、古典仏教の出家道は捨てているわけです。そして、聖徳太子によって手を着けられた、法華経の世界を日本化するというか、それは同時に聖徳太子にならって、在家のままに、在家の方々と同様の苦しみを味わう中で悟れるかという、そういう賭だと思いますが、ここに踏み込んでいった人が親鸞という男なのです。

おかげで、彼は家族を最後まで引きずっているわけです。八〇歳を過ぎて最晩年、ほとんど遺言と言っていい、ぼくは原文のコピーを見たらとても読めない。偉い方に聞いても、これはずいぶん弱った字だというか、最晩年の字だと言われています。有名なものでは、常陸の人びとへという、「常陸の人々御中へ」と書いておられますが、そういうお手紙が残っています。

その内容をぼくらは読み取れませんが、専門家に読んでいただくと、これは、自分の身の回りを世話してくれていた人びとの、身過ぎ世過ぎがならないから、後は頼むよと言って、常陸の人に泣いておられる手紙なのです。心配でわしは死にきれん、というような感じなのです。まるで楽隠居もできないじいさんの言葉なんですよ。

一方で、あれほどの、『歎異抄』が伝えるような救いにあずかられた方が、他方では死ぬまで、親父としてのというか、普通の在家者としての苦しみを、素直に出されているところが、いかにもこの人らしい魅力なのです。われわれが追慕する最大の理由はそこにあるわけです。わが教団は、おかげで家庭仏教の完成に向かって、その後もつとめることになります。

今度の麻原さんでも、うさんくさい人でして、出家だ出家だと言いながら、自分は妻子をもうけていて、しかも、一家中あげて贅沢させている。そこに嘘がある。でもいまの、既成教団はほとんど同じうさんくささをかかえ込んでいる。教義的には出家主義なのに、それにもかかわらず曹洞宗あたりで見ましても、九〇％以上のお寺が世襲です。おかしいですよね、出家して女人を排除したはずなのに子どもをつくってしまっているんですから。

――それで世襲制なんてね。

ところが、そうやって現実には世襲制をしながら、教義は直していないのですから、私は曹洞宗の偉い方に向かって言いました。「そんなものは、嘘で固まっているようなものじゃないか。人の信は得られませんよ」と。聞くと、昔は一生不犯（いっしょうふぼん）の師家と呼ばれる方々がおられたのですが……。しかし、いまや、本当に例外で、大部分のプロ坊さんたちは世襲制の寺院に安穏としている。

それだったらそれで、そうしないとやっていけないのだというように、教義も直されるべきだと思うのです。ところが、それをなさってない以上は嘘で固めているようなもので、人の信は得られませんと言ったわけです。日本人はそこに嘘を見抜いて嫌う。麻原彰晃氏などに対してアレルギーを起こした理由も同様のものでしょう。その点、わが教団には嘘がない。

それどころか、ここで〝家庭仏教〟という意味は、そういう出家主義なり個人主義なりを断固否定して、家族としてみなともにでないと、実は自分一個も救われないのだと考えて打ち出されてきたものです。旧仏教というか、インド以来、古典仏教は基本的に個人主義をめざします。つまり、家も捨て、子も捨て、自分一人がまず救われるということでしょう。人様のことではない、まず自分が救われなければならないと。しかし、大乗経典の花とも言われる法華経は、根本的にはみんなと一緒でないと救われない、一仏乗の理想と言われるものをもっているのです。それが「王仏冥合」的ロマンと、当然そこへも行くわけです。

ただし、ここが、浄土真宗のきわどいところで、一方では王仏冥合は否定しつつ、他方では大乗の理想をかかげる。ために、ここにおけるプロの坊さんというのはいちばん最後のはずです。みんなを救ってからでないと俺は成仏できない、そういう精神によって立つはずです。だから、造地獄の業というか、そういうものを真っ先にやっている人間だ、という自覚を持って、まず自分が地獄へ行くんだ、というぐらいの覚悟をもっていなければなりません。

◐女性の悲しさに身を添わせて

それは、プロの坊さんのほうですが、一般の方々には、家庭を大事にして、むしろ出家したらいかんよ、つまり、家を捨てたらあかん、みんなと一緒に救われるように努力しなさいねというわけです。これが、とくに際立ってくるのが蓮如時代です。蓮如というのは、親鸞から二〇〇年ぐらい後に出てくる人ですが、この人の力で現在の浄土真宗があると言ってもいいです。もちろん、教えの中身そのものは親鸞と同じでしょうけれども、蓮如師の特徴はより徹底的に出家主義を捨ててしまう点にありました。

その一つのポイントが、とくに女性だったわけです。当時、すでに下剋上と呼ばれる世界になってきて、男どもは煽られて、外へ行きたがっていた時代です。うまくいけば、かぶと首の一つも取れば、百姓でもすぐ侍になれる。そういう下剋上時代のはじまりになっています。それから、社会全体が疾風怒濤時代なのです。たしかに凶作の年もあったけれども、全体としては生産力も上がってきている以上に、一般の技術水準というか、それが世界大規模の情報流通によって、長足の進歩を遂げている時代なのです。

農業技術だけではなくて、工作技術、それから芸術部門も、やがて能とか、茶道とか、いろいろなかたちで結実しますね。中国大陸からだけでなく東南アジアを通って世界の文明が入ってきています。非常に国際的な時代でした。これは強調したい点ですが、ぼくらのほうが、むしろ国際性がないと思えるほどなんです。

たぶん、蓮如とか、親鸞もそうでしょうが、そもそもいま考えるような日本国などという意識はなかったように思います。彼らの意識で国と言えば、まァ摂津とか常陸とかいう範囲でしょうし、それ以上は四海の信心の人はみな兄弟とか、仏法領だと言うのですから、むしろ、ぼくら以上にボーダーレス感覚にあふれている、そういう人たちなのです。

そういうボーダーレスな疾風怒濤時代で、社会が沸き立つような時代ですから、男たちはどうしても出たがってしようがない、それで、現実に出て行く。蓮如の本願寺教団ですが、これが大きくなるプロセスを見ていますと、当初蓮如さんの周辺に集まってくる連中はそういう人たちだったように見えます。これを、「いたずらもの」と表現しているわけです、面白いですね。

◐「われらごときのいたずらもの」

かなり早い時期に出された、蓮如の御文章（ごぶんしょう）があります。お東の方（かた）は、〝お文（ふみ）〟とおっしゃいますが、簡単に言えば手紙ですね。これが現在まとめられて『御文章』といって五冊の本になっています。浄土真宗の普通の門信徒のお仏壇の引出しにも、この『御文章』が、昔は必ず入っていたものです。これを、朝な夕なにみなさん読んでおられました。これは、ものすごい教育効果があったと思います。

そういう御文章の中に、「猟すなどりの章」というのがあります。このときの猟は、山の猟というよりは、琵琶湖の鴨猟のようなものではなかったかと思いますが、「すなどり」のほうは州魚どりで、同じく琵琶湖とか北潟湖あたりの漁業のことでしょう。

いまでも、真宗門徒で空んじている方もありますが、「当流ノ安心ノヲモムキハ、アナガチニ、ワガコヽロノワロキヲモ、妄念妄執ノオコルヲモ、トヾメヨトイフニモアラズ。タヾアキナヒヲモシ奉公ヲモセヨ、猟スナドリヲモセヨ、カヽルアサマシキ罪業ニノミ朝夕（ちょうせき）マドヒヌルワレラゴトキノイタズラモノヲタスケントチカヒマヒマス弥陀如来ノ本願ニテマシマスゾト、フカク信ジテ、一心ニフタゴ、ロナク弥陀一仏ノ悲願ニスガリテ、タスケマシマセトオモフコ、ロノ一念ノ信マコトナレバ、カナラズ如来ノ御タスケニアズカルモノナリ云々」というお文なのです。

これは、蓮如教団の初期をよく反映した手紙だと思います。特徴は、農民が含まれていないことです。どう読んでも農民が出てこない。「ただ商いをもし奉公をもせよ、猟州漁りをもせよ」なのです。

そして、そういった土地つきの人でない連中を表現するのに、「カ、ルアサマシキ罪業ニノミ、朝夕マドヒヌル、ワレラゴトキノイタズラモノ」と言う。ここの「いたずら者」これは、もっと後の『御文章』と比較するとよくわかるのですが、男どもが相手の感じです。つまり、家から出て、あちこちでウロウロしている連中です。「奉公する」は侍のこと、「商をする」は交易のこと、為替商人などが、ずいぶん蓮如さんのそばにいたようですし、琵琶湖の湖上の運上権を持っている、いわゆる堅田衆（かただしゅう）と呼んでいる人たちもいる。いずれにせよ、イメージされるのは男性です。

◐ 出離の縁うすきわれら

ところが、やがて蓮如教団がもっと広がっていきますと、女性が前面に出てきます。日本の「女人往生」の伝統にのっていかれる。それを大事に、ウォーッと前面に出してこられます。そのときにおっしゃる一つの言い方が「五障三従(ごしょうまんしょう)のあさましき女人の身をもちて……」あるいは「在家(ざいけ)止住(しじゅう)の男女(なんにょ)」という具合に、「在家」という言葉に、わざわざ「止住」という言葉をつけたりもしています。また女性のことを言うときに、「出離の縁最もうすき我ら」ともおっしゃっています。これの本来の意味は、この娑婆世界を出離する縁がないという意味なのです。だから、本当は「罪業深重だから」というのの言い替えにすぎないのです。ところが、「出離の縁うすきわれら」というときに、どうしても故郷を離れられない、家を出られないという感じが重なっています。「在家止住」もそうです、出るに出られないという感じが込められているのです。

一方は「いたずら者」です。こいつらは出ていって勝手だと、こんな連中は。だけれども、出るに出られない人はどうなるのか……。きっと女性たちは、小さい子どもと、年寄りと、田畑を押し付けられてしまって、一身にそれを背負わなければならないでしょう。いちばん悲しかったのは、むしろ女性ではないかしら、といった感じがよく出ています。

日本では、それまでは女性の地位は決して低くない。それは、同時代の日野富子を見たらわかります。夫に従属するのではなく、財産なんかも自前のものをもっています。あるいは、かの一休宗純が相手にした森女という人、森侍者と言ったりしますが、盲目の女性ですが、一休さんがものすごく大事にしています。まだまだあの段階では、女性の地位はそんなに低くないはずです。でも、このころをさかいにして、だんだん悪くなっていきます、戦国時代になって徹底的に低くなり、いやしめられていきますよねェ。織田信長とか、あんな連中になってくると野蛮そのものですから、女性は同胞の女性といえども道具のようにしか扱ってないでしょう。そういうことで、野蛮な武力の時代に女性の地位は下がっていくわけです。そんな趨勢の中で蓮如師は、その女性たちの悲しさに、身を添わせていく、というのが一つのポイント。

結果、出家のロマンを全面的に否定して、むしろ出ることのできる「いたずらもの」はまだええよと。出るに出られない人こそ如来悲願の目当てだ、ということになります。

妻子を捨てて一人だけで救われたって、それは本当の救いにはならない。家族みなともにということになってきて、こうして家庭仏教が完成したと見ています。第二次世界大戦後になって、GHQの方々が日本の田舎へ行って、日本の農家を見て、家庭仏壇の立派なのにびっくりしたようです。GHQの方は、それを「ホーム・チャペル」と書いているのです。その上よく聞くと、なんとホーム・ミサを毎月やっていたらしいと報告しています。そういう国民だということに驚いているんですよねェ。

◐ホーム・チャペルとホーム・ミサ

ホーム・チャペルとホーム・ミサというのはおもしろいなと思って、ぼくも、フランスへ行ったときには、この話もしました。それで、いろいろたずねたら、世界にはないそうです。十字架の印を、たとえば日本的なお仏壇みたいなきれいな所に入れてホーム・ミサをなさったらいいのにね。メキシコとか、そういう所には一部あるのだそうですが、お粗末なものだそうで、日本の金仏壇みたいに、工芸品みたいにした、なんてことは世界に見当たらない。

しかも、大切なところは、こういう流れの中で、日本の家庭が、蓮如などの願いからいけば、家族エゴイズムの世界に閉じ込もるんでなくて、できるだけ〝パブリック・ファミリズム〟へと開いていくという、つまりは四海の信心の人はみな兄弟という感じになっていた点です。

家族関係のメタファを使っておられるけれども、しかし、そうやって四海の信心の人はみな兄弟なんだ。各々に家庭の悲しさみたいなものを背負っているけれど、それを克服するには、心はバーッと開いていかないといけない、ということを教えていっているのだと思います。家族の中だけで救われるかというと、それは駄目だと。家庭的な喜びや悲しさを、もっと広い世界で共有するというか、そういう中でしか救いはないということを言っていくのです。だからこそ、これがずうっと横へ広がっていって「講」になります。講のネットは、村とか国の境を越えていきます。これこそ、いまで言うボランティア・ネットワークの草分けではないでしょうか。

日本の家（イエ）主義というのは、とくに明治維新以降に再強化されます。先ほど申しましたホーム・チャペル、ホーム・ミサも、いわゆる家意識の中に閉じ込められていくというのが、残念ながら門徒衆の家でも、結局は出てしまいました。しかし、もともとの親鸞とか蓮如の願いからいけば、かなり違ったものなので、出家のロマンを完全否定して、〝パブリック・ファミリズム〟をめざしたとでも言う以外にないなと思っています。

そして、先ほどのフランスで、たまたま学んできたことどもを併せ考えますと、これからの教団宗教というものは、ここをポイントに考えて、たしかに福祉国家は、これからさらに充実していくだろう、老人福祉ももうちょっと行くだろう、でも、これはあくまで個人主義、いわば一本釣り方式だから限界もある、教団宗教でない宗教と言いますけれども、そういう感じの中に、実は〝パブリック・ファミリズム〟への希求がある、という点を見損なわないでほしいと思うのです。

2　おかげと祟り

日本人の、むしろ教団の外側にある宗教心ということ。イチローさんの感謝の心というのを説明しましたね。私が理解したところでは、たしかにたしなみであり、たいへんいい心がけだから、一般の人びと、宗教などに全然関心のない方々でも、そこの線でならば、もし宗教がそこにとどまっているのならば、みんな支持するわけですね。

◐感謝の心と恨み心

でもいかがでしょう、これは倫理的と言うべきか、文字どおりたしなみ心でありますから、そのまま宗教心というと、ちょっと物足らない感じもするのです。どこが物足らないかというと、一つは、人間の命というものを、長いめの人でもわずか一〇〇年ですが、宗教の一つの特徴は、これを、前後をもっと開いて考えるところにあります。基本的には前世も認めておりますし、死んで以降の命の存続も認めているわけです。それを、言葉では霊性というふうに表現したり、日本人のように霊魂というような言葉で表現したりいろいろします。しかし、終わって「ゴミになるだけ」というようには考えません。

もう一つは、おかげと感謝というそれだけではなくて、やはり命の罪深さみたいなところも見据えています。たとえばイチローさんがそのような心境に達せられたのは、あれだけの成功者であるからです。われわれも、平穏に日常が送れているときは、おかげさまと喜ぶ、そういう心がけで暮らせせば、ますます幸せになれます。でも、われわれは、そうは喜んでいられない、思わぬ災難にも、しばしば出くわすわけです。日航機が落ちることもあるし、トンネルが落ちてくることもある。そういう災難に遭った人に、感謝の心がけがなかったから……、なんてことを言ったら怒られますよねェ。

宗教のもう一つの大事な役割は、そういう意味で人間の実人生にはいろいろな苦しみがある、あるいは、恨みが残ります、その恨みが起こるもとを絶っていくという、そういうものが宗教にないと、やはりもの足らないのではありませんか。

そこで私は、たしかに日本の集合心性として、おかげを喜ぶ気持ち、これを見田宗介先生は〝原恩の意識〟と上手に言ってくれました、この気持ちともう一つ。そんなわけで、下手すれば明日にも襲ってくるいろいろな苦難や悲しみに対応して、祟りの意識も同時にあったと思うのです。この祟りの意識が、ちょっと時代が下ってからだろうけれども、やがて怨霊信仰というものをつくっていきました。先ほどは聖徳太子で申しましたが、もっと有名な怨霊信仰の草分けは、菅原道真に対するそれでした。罪のない人が、政争に敗れて、恨みを飲んで死んでいった。そうすると、そこへ追いやった側の人間が恐れるわけです。何か恨み心が残ってしまったのではないか。これをなんとか鎮めておかないとロクなことが起こらんぞと思って心配していたら、案の定いろいろな災難が都にふりかかってきたわけでしょう。

とくに不作のもとになる雷、落雷というのが結構あったようです。それから虫害が広がり、病気も広がっていったようです。とにかく、嫌だなと思っているところへそういうことが起こってくるものだから、やっぱりそうだというので、北野天神というかたちで、これを祀り上げていく。自分らの罪深さをとりあえずは、こんな怨霊信仰というようなかたちで処理しているんではないか……。

もうちょっと広げますと、もともとおかげと祟りのコンプレックスがある。日常の平穏無事を「おかげ」と喜ぶ一方で、つまり、相変わりませずという、相変わらないときは「おかげ」で、変事のときは祟りというように、うまく使い分けたというか、こういうものが輻輳しまして、日本人のコンプレックスをつくってきたというわけです。コンプレックスという言葉が嫌なら、先ほど申した集合心性と考えてもらってもいい。

ただ、社会がよくなっていきますと、祟りよりもおかげが前面に出てくるはずです。あるいは、個人で考えましても、良いときは「おかげさま」とたいていの人は言えるわけですね。面白いことに教団などでもそうでして、宗教の中で見ましても、祟りを強調しているときと、おかげおかげというときがあって、それはキリスト教の中ですら指摘されてきました。

リチャード・ニーバーが、デノミネーションという言葉で表現しようとしたものがそうなんです。鋭角的で鋭い社会批判をガーッと出しているときは、この世の中はひどい無茶苦茶な世の中なのだと。これには、いずれ罰が降る。キリスト教で言えば神の裁きです。この裁きを強調している時代から、むしろイエスのおかげで赦された、イエスの贖罪によってみんな赦されたという、その赦しの側へグーッとウエイトを置いて、この裁きの側を忘れていくという傾向を、合衆国のプロテスタンティズムの中に見出したのが、リチャード・ニーバーだし、一九九〇年にアン・ダグラスという人が書いた『アメリカ文化のフェミナイゼーション』という本も同じようなところを衝いたものです。

彼女がフェミナイゼーションと言っている意味はいま申しましたように、アメリカの教会がプロテスタンティズムの精神を失っていって、赦しの側ばかりが肥大し、ただの自己満足のような、そんな世界へ退行していく、これをフェミナイゼーションと表現したものだから、女性フェミニズムの人びとから批判を受けたわけです。

ただ、同じことを言うのにセンチメンタライゼーションという言葉も使っています。すなわち感傷的になっていく。なにもかも赦されてしまうので、社会批判のトゲは失っていきます。裁きを強調したプロテスタンティズムですら、そういうように時代が変化していくと、教えが「メロー」になる。メローというのは、円熟していくという意味もありますが、一方には腐りかけという意味もあります。リチャード・ニーバーは、このメローという言葉の両義性を巧みに使ったのですが、なるほどセンチメンタルになるという言い方もあたっているように思います。

日本でそれを置き替えると、教団自身が豊かになって、祟りを言わなくなり、感謝しなさい、おかげさまを喜びなさいとそんな感じになるわけです。新宗教でもちょっと大きくなると祟りは言わなくなって、やたら、おかげおかげと強調するようになります。だから、豊かな社会では、おかげのほうが受けがいいのです。

しかし何度も言いますように、それだけが宗教心かと言われますと、どうもピンとこない。苦しいときは、祟り信仰というか、あるいは己れの罪深さを裁かれる面を言ってもらわないとピンとこないと思いますね。何か自分を超えた力がこの社会に働いている。それが、たまたまある特定の人の怨霊なり、呪いなりとして表現され、あるいはわれわれのコントロールを超えた世界によって、何か裁かれている。それが、いまの災難になって現れているのだということでありますから、この祟り信仰というのは、たんなる迷信とか、そういうふうに切って捨てるべきものではないと思います。

◐宗教の本流は祟りを鎮める

おかげを喜ぶ、つまり原恩の意識を、見田さんは非常に強調されて、欧米の原罪に対比して、これで日本人の宗教心を語るとおっしゃったのだけれども、私は、いろいろな教団の調査等からみても、むしろ祟り信仰側のほうが宗教としては大事だという認識に立ちまして、それも含めて言えば、恨みを鎮める技術、あるいは鎮めるための知的資源、そういうものこそが宗教だ、というように定義していきたいと思ったわけです。

それで、〝鎮めの文化〟というようなものをずうっとたどってみました。先ほどの怨霊信仰からはじまって、いつの時代にも、一方にある勝ち誇っていく精神に冷水をあびせるような「おそれの心」もあるように思えたわけです。たしかに、おかげを喜ぶ心は尊いですけれども、そのかたわらで宗教者たちが苦心しているというか、努力しているのは、世俗的な競争心とか、勝ち誇ってしまう精神というものは駄目ですよ、それはどうかな、と首をかしげながらですね、むしろ本当に心落ち着かせる世界を提示していったんだと思うのです。でも、下剋上の時代に、日本は〝煽る文化〟一色に染め上げられていったんでしょうね。

その中で一休宗純とか、蓮如さんが試みたことは、煽られていく人間を、そうじゃないよと、本当の幸せは違うところにあるのではないか、もっと心を鎮めましょうよ、という方向へ持っていきました。とりわけ先ほど言いました、女人往生という線で、出るにも出られない人びとの悲しみに身を添わせるようにする。蓮如の念仏、一休宗純の禅でもそうですが、何か耐え忍ぶ心というか、そういうものの彫琢だったようにも見えてきます。

こんなわけで、おかげの方向だけで、あるいは感謝の心だけで宗教を語るというのは、いわば車の両輪の片方しか見ていないような気がします。宗教の本流は恨みを鎮めるほうにあるのではないか。ただし、いまの説明では、まだ抽象的すぎますので、これにもかかわりまして、柳川啓一先生から教えていただいた、「世界中に、女宗教と男宗教と呼ぶべき分類ができる」という話をしましょう。

ぼくの調査をした生駒（大阪と奈良の境界線にある山）でもそうだったのですが、生駒では、ここで柳川先生がおっしゃった女宗教の代表が朝鮮寺に表現されていました。そこからちょっと延ばして考えますと、世界中で女宗教と呼べるものは、みなシャーマニズム系譜のものだという点が見えてきます。

◐ 女の宗教

日本で、具体的に出ているのは恐山です。あそこに「巫女(みこ)の口」と呼んでいますが、あれにはたいてい女性が行かれます。巫女の口というのは、先立った子どもの霊をおろしていただくわけです。もともとは、ほとんど盲目の女性だったと聞いていますが、その巫女さんが子どもの霊を自分に憑けて、そして子どもになって、その声音でいまの状態を報告してくれるのです。賽の河原で苦しめられているとかいろいろ言います。それを聞きながら女性が泣かれます。霊をおろしたり、憑けたりする、これはシャーマニズムの典型です。

これは、宗教学のいろはを繰り返すようで恐縮ですが、一方にアニミズムというのが言われていて、一方にシャーマニズムというのが言われています。アニミズムのほうはアニマですから、自然の中に、人間の魂のようなものを読みとって、それを祈願対象にするといった宗教心のことです。

一方シャーマニズムは、いまのこのかたちです。霊を「ポゼッション」し、あるいはおろしたりします。まず、「憑霊」して、本人はエクスタシーになります。自我を失います。自分の自我に、おりてきた霊を入れ替えるわけです。こういう技術をシャーマニズムと言っているわけですね。

恐山のそれも、そうやって亡き子らの霊をおろしてもらい、クライアントの女性も泣きながら、一種のカタルシスを果たされるのです。泣くことで悲しみが癒されているわけです。このタイプの宗教が女宗教です。私たちが朝鮮寺で見ました「クッ」と言っています儀式、これもタイプは同じでした。

女性たちが、何か悲しみに出会うでしょう。たとえば、亭主が浮気ばかりしている。昔の言葉でしょうが、〝ヒステリー〟でギャーッとなっている。そのときに、必ず女性だけで近所の人とか、お友達とか、みんな連れもって朝鮮寺に行くのです。それで、その「クッ」をしてもらうのです。巫女さんが出てきて、その方が見ると、何か浮かばれない霊がいるとかおっしゃるわけです。日本語で言えば不浄霊でしょうか。それが祟っているので、私がいまからそれに取り憑いて、それをおろしてあげますから、みんなでその霊を慰めてあげなさいというわけです。

これ実は、えらい金がかかります。慰めるために、食べ物でも、いちばん上等の物を持っていきます。かりに、三つ霊をおろした場合は、その着物をすべて白絹で用意しなければいけません。お金がかかってたいへんなのですが、とにかくやってもらいます。初めは巫女さんが踊っています。霊がおりてきて、苦しんだりいろいろの所作をしています。もう一人の助祭される方がおられて、その方が太鼓をたたいたりなどしながら、しだいに鎮まり慰められる。お願いしたお客さんのほうも初めはウォーウォー言っているのですが、だんだん無礼講になってまいりまして、お酒なども入ります。それでなんのことはない、巫女さんは疲れてどこかへ行ってしまうのですが、後は残されたお客さんばかりでドンチャン騒ぎをしています。それで、ヒステリーがおさまるのでしょう。

恐山もそうなっておりまして、あれは日蓮宗のお寺だと思いますが、ウォンウォン泣いておられた方が、みなさん同じお寺に合宿なさいます。その晩の乱痴気騒ぎたるやたいへんなもので、今泣いていた烏（からす）がという感じがしますが、ああやってエクスタシーの乱痴気騒ぎの中で、しかし、やはりカタルシスされるんでしょう。それで、次の生活への力を得ていかれると言ってもいいと思いますし、耐え忍ぶ力を得られると言ってもいいと思います。

こういう宗教は、柳川先生によれば、わりと男尊女卑というか、女性が家庭的な苦しみを一身に背負わなければならないところ……。そういう国はたくさんありますよね。柳川先生などは、だいたいこのユーラシア大陸全体だとおっしゃっていますが、典型的に出たのが韓国です。いまの「クッ」ももともとは朝鮮半島全域に分布していたもので、典型的な女宗教です。

◐男の宗教はきれいごと

それでは、男性は何をしているのかというと、祖先祭祀で、こちらは各家のお仏壇の前で、向こう流儀の先祖供養をやっておられます。そんなので、男宗教が、どちらかというとおかげを喜ぶというか、まァきれいごとのほうに傾斜しとるわけです。

男宗教というのは、そういう意味で祖先崇拝の平板な法事です。日本的に言えば、年回法事みたいなものは、男性が主になってされます。これは、基本的な精神からいえば、日常の平穏無事を喜ぶ、まさにたしなみですわねェ。

ところが、女宗教はだいたいが祟りの処理ないし鎮めなのです。なんで私はこんな苦しみを味わわにゃならんのやと。それは、先に亡くなった子の霊かもしれないし、いろんな祀られない霊の祟りかもしれん。その罪を一身に背負って、女性たちは巫女さんのもとをたずねているわけです。

かたわらで男どもは、おかげを喜ぶ平凡な祖先祭祀をやっているわけです。とくに韓国が典型だけれども、日本でもあまり変わらないことだったと思うのです。昔の言葉では隠殺と書いてありますね……、こっそり子殺しなんかもせざるをえなかった。

古い話になりますが、戦国時代にカトリックが入ってきましたでしょう。修道会のザビエルさんに代表されるいろいろな方々が、ヨーロッパの修道会本部へ、日本での開教状況を報告していますよね。その報告の中に、日本では子殺しが非常に多い、隠殺が非常に多いということで、とんでもない国だみたいに書いてありますために、ヨーロッパでは、日本は子殺しの国だ、とんでもない野蛮人だというようなことも思ったらしいのです。

よく考えますと、家の問題は全部女性が引っかぶらねばならなくなって、実際に手を下しているのもたしかに女性なのでしょう。そこへ追い込まれていったわけです。その女性たちが、あの当時でもカトリックの信仰にワーッと入った。

何が言いたいのかというと、いつもそうだったのだと思うのです。男宗教というのは、いわばきれいごと、もっと言えば宗教というよりも、道徳の世界ぐらいの所にとどまっているわけです。本当の人間の悲しみを背負ったのは、むしろ女性であって、彼女らこそが祟りをおそれなければならない破目に追いやられた。放っておいたら怖いよ、駄目だよとか、そしてそれを言われるとギクッとすることになるわけです。これは、現在の水子供養の精神にまでピタッとつながっていると思うのです。あれを笑う人が多いですけれども、ぼくはよくよく考えてみますと、現在の日本の宗教状況で、もっとも大切なのが水子供養であって、現在の日本社会は非常に幸せなように見えますが、あの水子供養を見ているかぎりでは、昔と同じように、相変わらず女性が世の不幸を一身に引き受けているという風景が見えるように思います。

そういう意味で女宗教と、男宗教というのがだいたい分かれまして、祟り側というか、ここに宗教が息づいていて、主に男性が担うおかげ側は、宗教というよりも、むしろ習俗と言ってもいい程度のところでとどまっている。本当の宗教を求める心というのは、苦しみを引き受けさせられ、差別される女性たちの側にあった。そこへ新鮮な、たとえば戦国時代ですと、カトリックがワッと入ってきたということです。現在だったら、たとえば水子供養の必要性を誰かが言えば、サッとそこへ引きつけられる。

そういう意味で言えば、新宗教のバイタリティですか、新しい宗教が起こってくる資源なりエネルギーのもとは、こういう差別された女性たち、要は、本当の悲しみのほうにある。だから、祟りを鎮めるという、こっち側こそが、むしろ、宗教的バイタリティの基礎だろうと言うのです。しかも、このことは、いまも昔もそんなに変わっていない。

こんなわけで、男宗教・女宗教が分かれている社会というものは、必ずや女性の地位の低い所だ、というのが柳川先生がこれを分けたときの趣旨なのですが、いまは比較的女性の地位も上がってきましたので、必ずしも分かれてこないとは思います。けれども、祟りを鎮めてほしいという形での宗教を求める心の所在は、女性であれ男性であれやはり一緒で、理不尽な、理解に苦しむような、なんで俺だけこんなめに遭うんだろうといった形の苦難だと私は思います。

◐「お連れ」のない死

現在は、とくに子どもを亡くされる方は少ないです。あるいは、若い人が死ぬこと自体少ないですよね。昔はいくらでもあったけれども、いまは少ない。森岡清美先生がある所で、「死のコンボイ論」というのをなさったことがあります。「コンボイ」というのは「お連れ」と思ってください。戦争時代に、壮年男性がたくさん死んでいるコーホートと申しますが、大正何年生まれから何年生まれまでの世代がいちばん多く死んだ、そういうことがわかるのだそうですが、その世代に生まれ合わせれば、むしろお連れのある死、コンボイが非常に多い死なのです。これは、少なくともあまり祟りという感じは引き起こさない死だといってもいい、まァ諦めがつきやすい死なんですね。

——自分だけではないということですものね。

そうなんです。ところが、現在の若い人の死はコンボイがほとんどない。一本釣りみたいな感じで、なんでよりによって俺のところに……と。恨みが残りやすい。例の臓器移植で、アメリカの両親の談話が出ますが、それをずっと見ていてなるほどなと思ったのは、そういうお連れのない死ですよね。臓器移植できる死というのは脳死ですが、それも若くないと意味がない。ぼくらぐらいの世代の者が脳死になっても三文の値打ちもないのだそうですね。採るところがないのだそうです。せいぜいお前のは網膜だけだと言っていました。ところが、大村のはよく調べるとひどい網膜らしいから、お前のは駄目だな、もう採るところがないと言われました。「心臓は？」と言ったら、「タバコを何本吸ってる？　そんな心臓誰がもらうか。そんなもの迷惑だ」と。「肝臓は？」と言ったら、「お前は何本酒を飲んでいるんだ」と言われて、肝硬変一歩手前で役に立たないと。そんなんで、移植できる脳死はあれは必ず若い人です。ということは、ほとんどコンボイのない死なのです。

そうしますと、その死とはことのほか和解しにくいはずです。で、両親が必ずおっしゃっているのは、「自分の息子は何人もの人の中で生き続けている」と。あれは、いかにも現代科学がつくってやった和解の仕方ではないかしら、非常に悲しい和解の仕方だとも思いますね。

やはりコンボイのない死であるほど、そういういろいろな物語を加えて慰めねばならない。それを思わずにすんだのが、あの戦時世代の方々かもしれません。たくさん死んでいるから、ある意味で諦めがついたし、あのときは、祟りについてもあまり言っていません。ところが、いまはみんな言います。日航機で亡くなった方々はまだしも、もっと例外的な災難で死ぬと、どれほどいろんなことを言われますか。それこそいやらしいプロ宗教者がいろいろなことを言ってきます。ひどいものです。みなさん怒っておられます。プロ宗教者だけではないのです。親戚などでも、口さがない連中というのがおりまして、何か祟っているのではないかなどと言い出すものです。

言われると心配になりますよ、やはり水子かなとかいろいろ思われるのも無理ありません。

そういう意味で、ぼくらは平穏無事に暮らしている間はおかげとか言ってすませていますけれども、いまでもコンボイのない死を体験されますと、かなりのインテリゲンチャの方々でも、なんでよりによって俺のところがこんなめに遭うんだということで、いろいろ迷われますよ。自分の力が及ばない、何かがあるのではないか。祖先のどこかに、祀られない霊の恨みが残っているんじゃないか……とか。

ある人は、住まいの方角が悪いと。これも結構あります。「あなた、そんなことを信じているの」と言ってはじめはびっくりしたのですけれども、よく聞くと無理ないなと思いました。それだけ続きますとね。転地して、気分一新するのに引越すのがいちばんいいかもね……と言ったことがあります。たしかに、そういう気分一新法にはいろんな仕方があると思います。その一つとして何か宗教にすがるというのもとてもよくわかりますし、むしろ教団は、それに正当に応えていかなければいけません。浄土真宗でも、祟り信仰みたいなのは迷信だと、水子供養に行っているのは馬鹿だと、そんな言い方ばかりしていたのでは、かえって人を軽蔑しているだけのことになります。

◐みんなと一緒に救われる

親鸞、蓮如以来、教団は、なんで女性へ持っていき、あるいは出家を否定するかといえば、そこにこそ多くの苦しみがあるからです。おかげなどと喜んでいられない人がいっぱいいるではないか。その人たちにどう応えていくか、ここにこそ、この教団の存在意義があったんだと思います。

ただ、それを小さな家の中だけの悲しみに閉じ込めないで、みんなと一緒に泣き、一緒に救われていきましょう、というようにもっていったのでしょう。そういう意味での〝パブリック・ファミリズム〟というか、そういう中にしか本当の救済はないのではないか、ということを言おうとしていたのだなと思うのです。あとは、講話とか、エッセーや講義を読んでくださって、そのあたりをご理解賜れば幸いです。

――ありがとうございました。在家であるから、みんなと苦しみをともに分かち合えるという、そこのところがよくわかれば、宗教に対する気持ちの持ち方が違うような気がしますね。

そうですね。

講義1

家族、この宗教的なもの

1 真桑文楽「嫁おどしの段」

人形浄瑠璃『蓮如上人一代記』のうち、とくに「嫁おどしの段」を紹介しながら、ここでの話をはじめよう（京都女子大・籠谷真智子先生に教えられた真桑（まくわ）文楽の脚本による）。

嫁と姑

蓮如の吉崎御坊が多くの人びとを集めていた頃、といっても文明三（一四七一）年から同七年八月頃までと、その期間はながくはないが、近くの村に、吉田与三治とその妻お清、そして与三治の母、つまり問題の姑、の三人が侘住居（わびずまい）していた。

冬のある日、亡き子（由松）の命日とて、お清は、御坊でお経をあげてもらおうと、綿二百匁ばかり包みに入れて人づてに託したところ……、

――さては隠し男にでもやったのだろう、と姑にとがめられ、

――倅（せがれ）に代わって縁切った、と家の外へと押し出される始末。この場はとにかく、やさしい与三治になぐさめられ、二人はそっと吉崎御坊へと詣りにいく。だが……、

――一間の内にそら寝の母、障子引き明け後うち見やり、あれほどに意見しても毎夜々々の吉崎参り、与三治はともあれ、あの女郎め、二度参ろと云わぬ様おどしてくれん、とあたり見まわし、

――これ幸いと取出（とりいだ）す、家に伝わる春日の面。顔にかぶれば忽（たちまち）に姿心も悪鬼の形相、有りあう鎌（かま）を追取って、村はずれの山道、藪垣のあいだにうかがい居（お）る。と……、

――只一人息せき戻る嫁お清。心に唱うる称名（念仏）もいとど殊勝に見えにけり。

――向うへすっくと鬼の姿。立ちふさがって声をかけ。我こそは当国白山権現の使いなり、汝、毎夜吉崎に参詣する事、以っての外の御怒り、今より心を改めて吉崎参りをかたく禁止し、一人の母に孝行尽くせば其の通り、いなむにおいては喰（く）い殺さん、とおどしかかったが……。

喰まば喰め

見向きもせず、「オオ喰（は）まば喰め、金剛の他力の信な、よも喰むまい」、と云い捨てしづ〳〵行きすぎる。

——怒った鬼女は、鎌でお清に襲いかかり、その胸いたへ、はっしと打込む有様は、此の世からなる地獄の責、むざんというも余りあり。（と、まァ話はこんな具合いに展開していく。とにかくお清の死体を古池に投げすて、家に帰って、さて面を取ろうとするのだが……。）

——喰い入るばかり、おもてに聞こゆる足音に、これはとばかり押入れに身をひそめてぞ忍び居る。（与三治が帰ってくると、それを追うように大勢の人、池にあったお清の死骸を戸板にのせて運んでくる。）

——だが、よく見ると切られた気色もなく、ハテ不思議なと、死骸(むくろ)の「懐中守り」取り出しよく〳〵眺め、ムム、絞るばかりのぬれしずく、もった六字の名号（札(ふだ)）はすに切れしは……。

——この名号、一老の本光坊、火の中より取り出したる暁(あかつき)の名号、さては身代りに立ちたまうか、有難し〳〵。ぬるま湯口にふくませて、気付いたお清に与三治はいう。こりゃ女房、そちが懐を見れば、御坊で受けし暁の名号、はすに切れてぬれしずく。とお清、ヒェェそんなら名号のきづいにて我身にけがのなかりしか……。

——ところが、この様子を聞いていた押入れの中の姑。たえかねて転び出(い)で、かくしもったる以前の鎌、咽(のど)へがばと突き立つれば、与三治はあわて抱きかかえ、その顔を見てびっくりする。

今端の回心

母は始終を語り、悪の報いはこれこの通りとざんげして……、かつぎし面の喰い入るばかり、今端のきわにご教化を聞かして下され、これ嫁女、拝むわいのと身をもだえ、手を合わせる有様は、そばで見る目も哀れなり。で、与三治は、一時も早う上人様へと連れて出ようと立上るが……。

――その時、声がして、「夫婦のもの、吉崎に歩むも及ばず、とくより蓮如これに有り」、と障子にうつる金色の、光と共に立ち出でたまう。

――老母が宿世の業、今より後は仏門に入り、六字の名号帰命せば非業を滅すにうたがひなし。いざ共々に念ぜよと、珠数取り出だし称名を唱えたまえば、アアラ不思議、かつぎし面のたちまちに、無始曠劫の悪肉は面に付いてぞ落ちにける。

――老母は今端の断末魔、娑婆の名残りに、にっこりと笑うて息はたえにけり。

――今端に直るお心を、常にお持ちあそばしたら、此のご最期はあるまいに、思えばおいたわしや、とお清。死骸押し動し、さけび嘆けば与三治も共に、こらえし涙一時に、落ちて流れて白山の、手取の川に水増えて、堤もくずる如くなり。

2　蓮如と女人往生

以上、浄瑠璃の脚本を、雰囲気をこわさない範囲で一部、言葉を改めながら紹介した。それでも、吉崎滞在中、蓮如にまつわる事件の数々が、後、しだいに奇瑞譚として伝承された、そんなエピソードのいくつかが組み込まれているので、なお少々の説明が要るかもしれない。(1)

本光坊腹籠の御聖教

まず、お清の命を救ったとされる懐中守りの名号札。その説明に、「本光坊火の中より取り出したる暁の名号」とあるが、これは二つの伝説を一つに重ねて取り入れたものかと思われる。蓮如自身の〝お文〟にも、「文明第六　三月二十八日酉の刻とおぼえしに南大門多屋より火事いでて……」とあり、吉崎御坊が大火に見舞われ、一夜にして消失したのは事実らしい。その復興に際しても、「砂山の漁師喜八の娘」が、三国湊の遊女屋へみずからの身を売ってかねをつくり上納したといった話も伝えられた。「女人往生」こそ、蓮如の教化の一つのポイントだったことを、これまたよく示す話なのだが……。

それはさておき、大火のさ中にも、後々まで伝承される二つのエピソードがあった。一つは、

「火中出現のお名号」とか、「松掛けの名号」とかいわれる話で、要は、蓮如直筆の名号が、大火のさ中ひとりでに難を逃れ、一本の松の太枝にかかって人びとを励ますかのようであったというのである。

もう一つは、同じくこの出火の折、蓮如が書院の机上に置きざりにした親鸞聖人真筆のご本典（『教行信証』）、その一巻を、本光（向）坊了玄（顕）という名の僧侶が腹中におさめて殉教死したという話。この一巻は、「腹籠（はらごもり）血染めの御聖教（おしょうぎょう）」として、その後も、〝ご本山〟に永く伝えられたと説かれる。

先の真桑文楽脚本では、おそらく、この二つのエピソードが、一つに合作され「本光坊火の中より取り出したる暁の名号」となったのであろう。時が経てば、もとの話がこのように混同されるのはよくあることだ。

流布本との違い

それより、この真桑文楽の脚本は、一般に流布している「嫁おどし肉付きの面」の伝承と、もっと大切なところで差異があり、実は、それ自体ユニークな物語に仕上っているのである。

「暁の名号」の奇瑞を目のあたりにした姑は、かくれひそんでいた押入れより転びだし、お清を襲ったと同じ鎌を己れの「咽へがばと突き立て」、苦しい息のそこからざんげの言葉を吐く。

つまり、回心は今端のきわになされ、「娑婆の名残りに、にっこりと笑うて息はたえにけり」と、この脚本はうたう。

だが、広く流布している話では、「さしもの姥も改悔の心を起こし、我もなにとぞ吉崎へ参りご教化聴聞せんと嫁と同道にて参詣し、共に無二の信者となれり」といった具合で、いわばめでたしめでたしで終わっているのである。

加えて、話の発端で、流布本のほうのお清はすでに、二人の子にも夫にも先立たれた未亡人ということになっている。「喰まば喰め、金剛の他力の信な、よも喰むまい」のように、まったく同じセリフもあるのだが、どうやら真桑文楽の脚本のほうが、流布本よりも、よほど緊張度は高い。

子を亡くして、いっそうその絆を深めた仲のいい夫婦と、それを妬んでいよいよ孤立していく老残の姑と。この真桑文楽のほうの構図中に、どんな回心がありうるだろうか。「今端のきわ」なればこそそのリアリティが、「無始曠劫の悪肉は面に付いてぞ落ちにける」を色どっている、といって間違いなかろう。

嫁・姑争いの近代性

ただし、真桑文楽のこのリアリティは、その構成からして、いかにも近代的なのである。明治期、旧民法の制定によって、庶民レベルにまで広がった近代の「家父長制」。しかも、こうして新たに編成された「家」は、都市化ないしムラ共同体の解体にともなって、たがいに孤立せざるをえない状況に追いこまれていく。

内に三世代を抱え込んだ家父長制があり、外に向かっては各「家」を単位の熾烈な競争がある。現在にまで持ちこされている、この特殊に近代的なわが国の家族事情が、嫁・姑間のいっそう苛烈な葛藤を生み出すもとである。

真桑文楽の脚本は、おそらく近代になってから創られたものであろう。少なくとも、あの形の上演は、明治期以降のことではないか、と推測する理由もここにある。

3　出家者と在家者のエートス

つい先頃亡くなった池波正太郎氏の『真田太平記』は、文庫本でいまもよく読まれていると聞くし、映画やテレビドラマにもなって、受けのいい小説である。もちろん、あの大坂の陣で、徳川家康をあれほど苦しめた（と、太閤びいきの大阪人はいまもそう信じている）真田幸村の、小気味よい活躍が山場になってはいる。

攻めの幸村、守りの信幸

だが、この小説が面白いのは、弟・幸村をかばいながら、しかも、真田家を守りとおした長兄・信幸（のち信之と改める）の苦心と深謀とに、よりいっそうのウエイトをかけたところにある。実際、九〇歳を超えて長生きしたらしいこの信幸こそ、江戸時代中、信州・松代の大名家として存続した真田家の礎(いしずえ)を築いた人なのである。

もちろん、彼に幸いしたのは、正妻が徳川家の重臣（四天王の一人）、本多平八郎忠勝の娘であったことだろう。しかも、徳川家康の養女として真田家に嫁いでいる。つまり信幸は、家康を義父ともいえた間柄である。

それにしても、実父と実弟とが、あれほど徳川に刃向かったのだから、（移封されたとはいえ）大名家として存続できたのは、よほどのことであったわけだ。池波氏の小説は、華やかな攻めの弟にもまして、地味な守りの役に徹した長男の人間像を描いて、見事な出来栄えだったと評価したい。

長男文化と次男文化

それというのも、「家」を出て広い世間に活躍する（ないし故郷に錦をかざる）二・三男層のあり方は、しばしば大衆小説の題材になってきたが、一方、じっと耐え「家」を守った側の長男夫婦が、これほど風采よく描かれた例はめずらしいからである。

同じく二人の女性の間で身悶えするにしても、「家」を出た男性の場合なら、妻と愛人の間で苦しむかたちだろうが、家つき男性の場合は老母と妻との葛藤中に右往左往する、といった図柄にならざるをえない。要は、色模様にしてからが、長男のそれは（松竹）家庭劇の題材にしかならない程度に、カッコ悪いのである。

仮に、家を出る二・三男層を、共鳴盤にしたポピュラー・カルチャーを「次男文化」、家に残る人のそれを「長男文化」と呼んで区別するなら、池波氏の『真田太平記』は、この両者の交錯を巧みに描きだした大衆小説だったといえるであろう。

通常、「次男文化」は語り部にめぐまれた（それだけヴォーカルな）文化要素であるに対し、「長男文化」のほうは滅多に語られることのない、サイレントな文化要素であった、ということもつけ加えておこう。

出家者と在家者

もとより、家を出るのが二・三男とはかぎらないし、逆に残る者が長男ともかぎらない。よって、以下では、必ずしも坊さんになるわけではないが、家を離れる側を広義の出家者と呼び、それに対して長男に代表させた文化要素を在家者のそれ、というふうに呼ぼう。

すると、もともと出家者たちが新たな文化を創造する〝メーカー〟であり、家に留まる在家者たちは、その〝ユーザー〟にすぎないという面は確かにある。

だが、すでにあるものを、仮に守るだけだとしても、その文化維持の役まわりが、それほど気楽(イージー)なことかどうか。人は往々にして、新たに創造するものの努力ばかりをいいたてるが、本当は、「外護(げご)」する側にも、それなりの覚悟が要るし、もっといえば、それ自体、諦観(ていかん)の文化とも呼べる倫理的態度（エートス）を生み出してもきたのである。

真田信幸がそうだった。実父や実弟の「世に出たい」気持ちを、彼ももちろんもっていた。だが自身は、この夢を断念し、それを弟・幸村に託して、みずからは外護者となる覚悟をしたのである。出家者たちにロマンを託して、同様の諦観のうちに既成の「家」を守った人たち。サイレント・カルチャーとしての「在家者文化」も、このかぎりで語るに値する中身をもっている、と私は思う。

鎮める文化の萎縮

ところで、先の嫁・姑問題。これは、在家者側にある、その女性版とみなすこともできる。いや、「長男文化」が萎縮することで、よりいっそう緊迫して表面化する問題である。先にもふれたとおり、明治期以降、大衆小説や芝居によく語られてきた題材であるが、一般に考えられるほど、古くからあった問題ではないことに、ふたたび注意を促したい。

第一に、明治になって制定された旧民法によって、それまではごく限られた武士階級や都市豪商層にあった、家父長制的な「家」の態度特性が、一般庶民の間にも浸透していった結果、出てくる問題であること。

第二に、こうして創出された庶民の小さな「家」が、都市化による共同体の解体ゆえに、いよいよ孤立して、互いに「家」エゴイズムとも呼ぶべき状況に追い込まれていったこと。

第三に、「諦観」を核とした鎮める文化（calming culture）の全体が、近代都市社会にはびこる煽る文化（agitating culture）、ないしガンバリズムに侵蝕され、矜持ある「長男文化」を支えられなくなったこと。これらの悪条件が重なって、嫁・姑コンフリクトが、いまにいわれるようなかたちで、表面化していった、このことを見損なってはならないのである。

蓮如念仏の共鳴盤

はじめに引いた真桑文楽のリアリティ（したがって、あの脚本による上演）が、明治期以降のことであろうと書いた理由もこれである。つまり、特殊に近代的な家族の悲しさが、そのバック・グラウンドになっているということだ。

では、蓮如念仏それ自身のリアリティはどうだったのだろう。いささか護教論的になるが、親鸞との比較によって、さらにその文脈をふくらませて考えてみよう。

私の理解では、親鸞の教えが、どちらかといえば（広義の）出家者のほうに、その共鳴盤を見い出しているのに対して、蓮如のそれは、在家者たちの、それも女性側に受け皿があった。そのあたりの事情を、手短かに説明しようというのである。

4 親鸞と蓮如

よく知られているように、平安時代、わが国の仏教ロマンは、「鎮護国家」に資する官僧でない、むしろ私度僧や聖(ひじり)たちの漂泊によって、はるかによく表現されるような状況になっていた。

第二の出家

仮に当初、官途を求めた出家をしても、志ある僧侶ほど、この官僧の身分をも棄てる「第二の出家」によって、はじめて真の世捨てないし真の仏教ロマンを実現できると考えるようになっていた。「別所」と呼ばれた草庵への隠棲によって、ヒッピー文化にも似た日本仏教の精神が、彫琢(ちょうたく)されていったのだ。

いわゆる念仏の教え、浄土教もまた源信（恵心僧都）→源空（法然上人）と続いた天台比叡の別所において、しだいにその形を整えていった。やがて、旧仏教側とつるんだ時の院政によって流罪された法然門流の人びとが、それを機に、全国へ向け「専修念仏」の教えを広める結果となった。

当時、世界的に見ても最高水準の文化をもっていたと思われる、山岳（武装）都市・比叡山。親鸞はここに二〇年もの間、いわば留学していた人である。それが、法然流専修念仏の教えをひっさげ、おまけに貴種流離譚よろしく、（時の弱体政府から）流罪に付す旨の勲章までもらって、越後から常陸（ひたち）へと漂泊する。

薬草の知識をはじめとする、医療情報ひとつをとってみても、当時、地方に成り上がってきた「悪党」どもを平伏させるにたる、超一流のカリスマ的文化人であったことは疑いえまい（流罪による〝ご苦労〟をやけに強調する親鸞伝記類は、その後、本願寺などが、開祖崇拝のためにでっち上げたイデオロギーにすぎない）。

悪人正機

まさしく、流罪という烙印張り（stigmatization）が、親鸞においては、そのまま彼をカリスマに押し上げていく（charismatization）、いわば逆転のプロセスだった。「悪人正機」。親鸞独特ともいわれる、この大胆な救済論理も、一つの教えである以上に、彼の体験がつづった逆転のシナリオそのものだったといっていい。

後年、この親鸞門流からは、「造悪説」とも、「本願ぼこり」とも呼ばれる異解（一種の過激派）が頻出し、ために鎌倉政権によっても「念仏停止」の脅しを受けるようになる。

親鸞自身、弟子たちほどには、これら過激派を危険視していなかったようにみえるが、ここで興味深いのは、在地領主権力がいやがらせをするようなら、そんな所は「縁なきところと思って離れなさい」と説示している点である[2]。つまり、彼の弟子たちは、その地にとどまる必要がさほどないもの、出奔（しゅっぽん）可能な層の人たちではなかったか、と思えるのである。

生まれた地に在留し、出離していく兄弟たちの外護者ともなる、この覚悟の人たちがもつ文化を、先には「長男文化」とも、「在家者文化」とも呼んだわけだが、親鸞の念仏は、どうやら、そういう人たちを共鳴盤にしてはいなかったらしい。むしろ対照させた二・三男層ないし出家者たちこそ、親鸞の教えに帰依した人たちではなかったか、と予想できる。

悪人正機説の含みが、第一そうだろう。一家をなし、縁者すべての幸福をも願えるような、そういう「善人」は、如来誓願（大悲大願）の目当てではないという。「親鸞におきては、父母の孝養のためにとて、いっぺんにても念仏申したること、いまださうらわず」。家人の幸福を祈るのではない、ただ「親鸞一人（いちにん）がため」。

権力からの相対的な自由に加えて、この個人主義的特徴から見ても、彼の念仏は、「家」を捨てた人びと、文字どおり出家者たちの求道の姿を映しているとしか思えない。

出家主義と在家主義

のちに、本願寺が標榜する「在家主義」のゆえに、世人は、親鸞念仏の受け皿もまた、在家者たちだったと錯覚しやすい。もちろん、法然とも同じく、専修念仏の教えは、出家僧形を救いの要件とはしていないから、このかぎりでは親鸞も在家主義を採ったといってまちがいではない。だが、当時彼の念仏に帰依したのは、家つきの「普通の人びと」ではなく、いわゆる「念仏聖」になりえた人たち、ここにいう意味での出家者たちであったことを見損なってはならない、と私は思う。「我は、これ賀古の教信沙弥(きょうしんしゃみ)の定なり」。『改邪鈔(がいじゃしょう)』が伝えた、この親鸞の述懐も、彼自身が漂泊の念仏聖をモデルにしていた証拠である。

とりわけ蓮如念仏との比較を考えるなら、親鸞念仏は、対照的に出家主義だったといっていいほど、その性格が違うのである。まず、先にふれた「悪人正機」に対して、蓮如の教えが「女人正機」の色合いを帯びることは、多くの論者が指摘している。

女人正機

いわゆる『御文章』中には、「五障三従のあさましき女人」たちこそ、如来（＝悲願）の目当てであるとの趣旨が、くり返し述べられるほか、親鸞の『和讃』を引いても、「五濁悪世の衆生というは、一切我等女人悪人の事なり」と説かれたりもする。

蓮如が世に出るのは、応仁の乱のあと、親鸞の時よりさらに世情は混乱していた。「悪党」がはびこり、他方には念仏踊りや、異形の「後世者ぶり」を誇示する輩も多い。

こんな折、女性の地位は高くなるのか低くなるのか、速断は控えねばなるまいが、農業生産や家の守りという面で重みを増し、少なくともいま予測されているよりは、意外に女性の地位は高かったと見てまちがいあるまい。

とくにアノミー期、男性の目が外に向かえば、子どもの養育も含めて、家はいっそう、女性依存型にならざるをえない。むしろ、上流層ほどいわゆる female centered family になっていた可能性がある。

加えて、男性信者を得るより、女性信者を獲得した場合のほうが、信仰世襲率が高いという一般通則は、当時とて同様にあてはまるはず。女性に照準することで、家に在る人びとの全体を、把握することにもなるのである。

親鸞念仏が、よき人（師）への絶対信順といい、あるいは「余のことにあらず」といった一点集約主義といい、いわば賭けにも似た趣きをもつのに対して、蓮如の場合は、念仏をたしなむという（彼好みの）言葉遣いに見るとおり、あくまで生活者の日常性に投錨（びょう）した趣きにこそ、その本領があった。

5　在家止住の男女（なんにょ）

いかにも戦略家らしい蓮如の〝お文（ふみ）〟を一つ、少々長くなるが引用して、「女人正機」の機微をわかってもらおう。

弥生中半章

「さんぬる文明第四の暦（れき）、弥生中半（やよいなかば）のころかとおぼえはんべりしに、さもありぬらんとみえつる女性（にょしょう）一・二人、おとこなんどあい具（ぐ）したるひと〴〵、この山のことを沙汰（さた）しもうしけるは、そも〳〵、このごろ吉崎の山上に、一宇の坊舎（ぼうじゃ）をたてられて、言語道断おもしろき在所かなともうしそうろう。なかにもことに、加賀越中能登越後、信濃出羽奥州七ヶ国より、かの門下中、この当山へ道俗男女参詣をいたし群集せしめるよし、そのきこえかくれなし、これ末代の不思議なり、ただごとともおぼえはんべらず。さりながら、かの門徒の面々には、さても念仏法門をば、なにとすすめられそうろうやらん、とりわけ信心ということをむねとおしえられそうろうよし、ひとぐ〱もうし候なるは、いかなることにて候やらん、くわしくききまいらせて、われらもこの罪業深重のあさましき女人の身をもちてそうらえば、その信心とやらんをききわけまいらせて往生をねがいたく候よしを……」。

御恩報謝の念仏

「かの山中のひとにたずねもうしてそうらえば、しめしたまえるおもむきは、なにのようもなく、ただわが身は、十悪五逆・五障三従のあさましきものぞとおもいて、ふかく阿弥陀如来は、かかる機をたすけましまます御すがたなりとこころえまいらせて、ふたごころなく弥陀をたのみたてまつって、たすけたまえとおもうこころの一念おこるとき、かたじけなくも如来は、八万四千の光明をはなって、その身を摂取したもうなり。これを弥陀如来の念仏の行者を摂取したもうといえるはこのことなり。摂取不捨というは、おさめとってすてたまわずということなり、このこころを信心をえたる人とはもうすなり。さてこのうえには、ねてもさめても、たってもいても南無阿弥陀仏ともうす念仏は、弥陀にはやたすけられまいらせつるかたじけなさの弥陀の御恩を、南無阿弥陀仏ととなえて報じもうす念仏なりとこころうべきなりと、ねんごろにかたりたまいしかば、この女人たち、そのほかのひともうされけるは、まことにわれらが根機にかないたる弥陀如来の本願にてましまし候をも、いままで信じまいらせそうらわぬことのあさましさもうすばかりもそうらわず云々」と。

「信心正因・称名報恩」と一言にまとめられる蓮如の教え。それを女人往生に仮託させて、みずからシナリオを読むふうに語る彼一流の文章。合わせて、最初に引いた真桑文楽「嫁おどしの段」が、どういう舞台背景をもっているかも、これでよくわかってもらえると思う。

在家者の悲しさに

実際、この文明四（一四七二）年当時、早くも吉崎山上には多屋が建ち並び、蓮如自身が驚いてみせるほどの賑わいであったらしい。何が、それほど人びとを魅きつけるポイントだったのか……。

もちろん、いろんな要因がからみ合っての結果には違いないが、ここでは一つだけ、とりわけ親鸞のそれと比較して、蓮如の念仏は、各々の地を離れられない人間の悲しさに、ぴたりと添うような趣きがあったからだ、と答えておきたい。

一方が、むしろその地に定住しえない人間の、いわば「天路歴程」を鼓舞するものであったとすれば、蓮如のそれは、地を這う人びとの諦念に訴えて、「すでに往生は治定せしめたまふ」ゆえに、あとはただ「仏恩報謝」の念仏をたしなめ、とそういっているようなのである。

一方が、出家者や漂泊者のロマンに共振しているところで、他方は、在家者や定住者の矜恃ある諦念に共鳴している。蓮如のいう「女人」とは、ホーム・ベースを死守せざるをえない、その意味で「出離の縁」もっとも薄い（→なるほど五障三従の）人びとであったのだ。

在家止住のともがら

「末代無智の在家止住の男女たらんともがらは、こころをひとつにして、阿弥陀仏と深く頼みまいらせて、さらに余のかたへこころをふらず、一心一向に仏たすけたまへと申さん衆生をば、たとい罪業は深重なりとも、かならず弥陀如来は救いましますべし。これすなはち、第十八の念仏往生の誓願のこころなり。かくのごとく決定してのうえには、ねてもさめても、いのちのあらんかぎりは、称名念仏すべきものなり」。

これまた有名な〝お文〟の冒頭、「在家止住の……」と呼びかけているのは、決してただの修辞ではなかったのである。文字どおり「出離の縁」もっとも薄いあなた方こそ、如来（＝悲願）のお目当てですョ、いまあるままに救われているのですョ、と蓮如は、目前にいる在家者たちの現実に呼びかけていたのである。

6　「死ねない時代」の家族

仮に三世代同居でも、両親が娘夫婦との同居を選ぶようになれば、嫁・姑問題はおのずと解消する。現今は、こちらのオプションを採る傾向があって、漫画『サザエさん』は、それゆえに息の長い人気を保っているのだという。ならば、嫁・姑問題は、近代日本のそれも、過渡的な家族現象だったといえるのかもしれない。

死ねない時代

だが老親の扶養という形に一般化すれば、その負担は、いよいよ大きくなるばかりだ。〝たらい回し〟と呼ばれる妥協策ですら、それが可能なのは、いまの中年世代が、まだしも数多い兄弟姉妹をもつからであって、遠からず、回してもらえる〝たらい〟もないという時代がやって来る。いよいよ小さくまとまろうとするいまの家族には、もはや、老人を扶養する能力はないといっても過言ではない。

考えてみれば、子育て期を終えて、なお三十数年も生き続けるということ自体、よほど不自然なことだといわざるをえない。ほかの動物種にそんな例がない以上、少なくとも、自然淘汰の原則からは逸脱している。この種、人類のみ（といっても、実は先進国のほんの一部の人びとだけ）が享受している、いわば「逆淘汰」の恩恵。いや、逆淘汰のつけを、これからの世代は大なり小なり、支払わされることになるだろう。

仮に、アメリカ人やわれわれ日本人が、現に消費（いや浪費）しているエネルギー量と、飢餓線上にあるアフリカなどの人びとが消費できる量とを比較してみるとどうだろう。われわれの、とりわけ長過ぎる生命は、地球規模の「罪業深重」とも見えてくるのではなかろうか。

この慈悲、始終なし

しかも、喜ぶどころか、多くの不満や不安が、この同じ長命のゆえに生じてくるのだ。なんと、一一二歳の祖母と九〇歳の母とを抱えて、自身、腰痛に苦しむ六九歳の娘。こんな三世代家族があっても不思議ではないご時世なのだ。坊主にあるまじき言い草だけれども、正直、「はよ死んだりーナ……」としか、いいようのない家族風景にも、しばしばでくわす。

「こんな年寄り放ったらかして、この家を出られたら、どんなにいいか。でも、もうそんな元気もありませんで……」。ため息まじりに、しかも恥ずかしそうにおっしゃる中年女性。こんな「善知識（よきひと）」を見ながら、私はただ、「在家止住の男女たらんともがらは……」という、あの『御文章』の心を想うほかない。

お年寄りのほうも、もちろん、好きこのんで〝寝たきり〟になられたわけではない。おしめをとり換えるたびに、「合掌してはりますねん……」と、同じ中年女性がいわれる。

仮に一時は、家を飛び出ても、彼女は必ずや戻ってくるに違いない。そして、出るも地獄、残るも地獄。誰もの不本意を受けとめて、でも親鸞の念仏は、出るほうの「罪業深重」に、蓮如の念仏は残る側の諦念に、それぞれの共鳴盤を見出しているように私は思う。

ただし、「今生に、いかにいとほしふびんとおもふとも、存知のごとく救けがたければ、この慈悲始終なし。しかれば念仏申すのみぞ、すえとおりたる大慈悲心にてさふらふべし」としか、言いようもないのだけれど……。

結びにかえて

私たち一人ひとりの生命が、いや細胞の一つに至るまでが、実に、四〇億年にも及ぶ地球上の生命連鎖を、あますところなく刻印しているのだ、といまの遺伝情報学は教えてくれる。まさしく、「生まれがわり死にがわりして順次の生をくり返し」、この「獲(え)がたい人界(にんがい)の生をすでにうく」という次第である。しかも「三千大千世界」の生命との「共生」こそ、自然本来の姿なのだ、と現代の循環エコロジーは訴えてもいる。

四〇億年の生命の歴史。皆が、いずれ死ぬものとして、その一刹那（せつな）を、現にともにしている不思議。とりわけ、婚姻から出生におよぶ家族のつながり、これほど神秘な「縁」はほかにはないのである。なにゆえに、あなたと「私」が夫婦であるのか、なにゆえにあなたと「私」が親子であるのか。仮に一瞬間の「共生」であったとしても、否、そうであればこそ、互いに「会えて良かったネ」という感受性に目覚めることこそ、大切なのではあるまいか。

「一切の有情（うじょう）は、みなもって世々（せせ）生々（しょうじょう）の父母兄弟なり。順次生に仏になりて……」[3]とうたう仏教の人間観。いま、われわれが、あらたな〝ファミリズム〟を提唱するのは、そういった感性を家族関係の中にも、豊穣に取り戻したいと願うからにほかならない。家族とは、不思議の縁にもよおされた、まことに宗教的な集（つど）いなのである、と。

注

（1）資料として、次の二つだけを挙げておきたい。
浄信房充賢『絵入 蓮如上人御一代記』一九二七年（永田文昌堂）。
朝倉喜祐『蓮如 吉崎御坊と門徒』一九九一年（八千代印刷）。

（2）『親鸞聖人御消息』、「そのところの縁尽きておはしまし候（そうら）はば、いずれのところにてもうつらせたまひ候いておはしますように御はからひ候ふべし」。なお、次の『歎異抄』や『改邪鈔』も含めて、本願寺出版部刊『浄土真宗聖典（註釈版）』（一九八九年）を、是非ご覧下さい。

（3）井上真理子・大村英昭編『ファミリズムの再発見』世界思想社、一九九五年、参照。

講義2 現代鎮め物語

はじめに

日本仏教が育くんだ「鎮めのエートス」。これを肝心の坊さんたちは、どこかへ置き忘れるような仕儀にもなったのですが……。そうなりますと、かえって俗人たちのほうから、魂鎮めの意味を考え直そうといった感じの動きも出てまいります。教団の内部に、世俗的合理主義が蔓延すると、真の宗教性は教団の外部に逃げ出さざるをえない、と前に申しました。まさに、その典型的なあらわれが、俗人の手になる「鎮め物語」ではないか。というわけで、ここでは、そのいくつかを選んでお話ししたいと存じます。

もともと私たちは、心ひそかには、いつも鎮めへの願いをもっていると考えますが、とりわけ今の若い人びとには、われわれ中年世代のものとは違った感受性で、〃魂鎮め〃が模索されているように思えてなりません。大学のゼミで、小津安二郎監督の名作『東京物語』をビデオで見せたところ、家族というものが本来もつ宗教性のようなものに至るまで、それはそれはみごとな理解力を示してくれたことに一驚しました。笠智衆、東山千栄子、原節子と、主演者の顔ぶれからみても、若い人たちには、まるで馴染みのない世界が描かれているからと、こちらは受けないものだとばかり思っていたのでしたが……。むしろ、彼らが示してくれた感受性のおかげで、ここに、現代鎮め物語として申しますようなことを、私自身に想い着かせてくれたほどでした。

早世のロマン

あるいは中高年世代に特有の「鎮め物語」でしょうか、そうですね、むしろ長寿イデオロギーとでも呼べるような考え方があります。私たち学者の仲間うちでも、「長生きが最大の業績である」などと自嘲気味に言うことがあるのですが……。サラリーマンの世界でたずねましても、それこそ野心に燃えてがんばっている若い人に向かって、「君ィ、身体に気ィつけや……」などと、〝窓際族〟のおじさんが声をかける、なんて話はよく聞かれるところです。

「そんなにがんばらなくても、そこそこに長もちしてるほうが結局は勝ちョ」と、まァそんな感じのもの言いには、なるほど自他をともに鎮める含みがあることは確かでしょう。「長寿の秘訣は？」とたずねられて、「とにかく、あくせくせんと、のんびりやることですなァ……」などと、得々と応えている老人を見かけますが、これも同工異曲、文字通りの長寿イデオロギーと言うべきでしょう。ただし、いずれにせよ、少々いや味なところがある分、少なくとも鎮めのロマン、と言うには、いささかの躊躇を禁じえません。

実は私も、父を、五五歳の若さで亡くしたのですが、それこそ長寿イデオロギーの持ち主から、「あんたのお父さん……がんばり過ぎはったねェ」などと言われるのが一番いやでした。若気(わかげ)のいたり……、「このくそじじい、まァ何にもせんと、せいぜい長生きせェや」と、内心独り言(ご)ちていたものです。

ですから、もっとかっこいい「鎮め物語」は、長寿よりも、むしろ早世のロマンのほうにあるように思えます。たとえば、司馬遼太郎さんの一連の「幕末↓維新」ものあたり、いかがでしょう。坂本竜馬をはじめ、吉田松陰や高杉晋作など、幕末のヒーローたちは、いずれにせよ功なかばにして早世した人たちですから、読者も格段の感慨を覚えずにはいられないでしょう。のちにまで生きながらえた明治の、いわゆる元勲たちと違って、若いロマンがひたすら駆け抜けるという感じですから、今のぼくらをとり巻いているちっぽけな私利私欲など、自然に鎮まってしまうといった趣(おもむ)きなのです。

司馬さん自身も、それを一番に挙げられたそうですが、私の印象でも、とくに『燃えよ剣』が、鎮め効果という点でも、すぐれたものだと思います。新撰組副長の土方歳三(ひじかたとしぞう)が描かれているのですが……。とりわけ鳥羽伏見の戦いに敗れた落魄(らくはく)の身を、大阪「夕陽が丘」の茶屋で、愛人とのひとときの逢瀬(おうせ)に沈めるあたり、まさに「鎮め物語」にふさわしい名場面だったと記憶します。

ご存知でしょうか、この夕陽が丘辺り、四天王寺にかけては、謡曲「弱法師（よろぼっし）」や後の説教浄瑠璃「しんとくまる」にうたわれましたように、日没時の太陽を観想して、ともに浄土に往生しようと祈る、いわゆる念仏聖（ひじり）たちのメッカのようなところだったのです。山折哲雄さんは、中村雨紅のつくった「夕焼小焼で日が暮れて……」という、あの有名な童謡の、「お手々つないで皆帰ろ」にも、ともに浄土に帰すという、日本人の仏教観がよく伝えられているとおっしゃいます。司馬さんの場面設定にも、同じ伝統が踏まえられていたわけです。

中年男性、そろそろ人生の峠も見えている、しかし鎮まらない恨みは残っている、かつ宗教に助けを求めるにはプライドが高すぎる、そんな私たちにとって、司馬さんの、あの透明感あふれる早世ないし敗者のロマンは、一服の清涼剤にも似た鎮め効果をもたらしました。もっとも、中年男性に受けたといえば、司馬文学に先立って、井上靖さんの『風林火山』、あるいは山本周五郎さんの『樅（もみ）の木は残った』あたりも見逃すことができません。『風林火山』の山本勘助も、『樅の木は残った』の原田甲斐も、時勢を諦（あきら）め、ひたすら死の一点を見据えて生き切るという人間像でしたから、これまた、競争社会に疲れた中年男性にとって、その恨みつらみを、いわば浄化してくれるような含みをもっていたのではないでしょうか。

諦観、こころの故郷（ふるさと）

では、今の若い人たちにとって、どんな「鎮め物語」があるのでしょうか。村上春樹とか吉本ばななとか、もちろん、こういう若い作家たちを通して考えてみるのも一興ですが、ここでは、前にちょっと触れました小津安二郎監督の『東京物語』を例にとって考えてみます。中年世代にとってすら馴染みのうすくなった小津作品が、「今の若い世代に……どうして？」と思われるかもしれませんが、実は、そうだからこそ、かえって異文化接触にも似たインパクトを与えるらしい、というのが、ここでの眼のつけどころです。

くり返し申しましたように、わが国では、同型の中流意識が、世代を超えて蔓延し、あらゆる場面をうずめ尽しています。こんな時、私たちは、異文化に触れて、文化のすき間と言いますか、風穴みたいなものを見出しては、ホッとするようなところがあります。なるほど、小津作品に描かれた家族風景は、今にはない、幻想の共同体のようなものかもしれません。でも、そうであればあるほど、小さい時から〝早く、早く〟とせき立てられてきた今の若者にとっては、かえって心癒（いや）される、家族の原風景に見えるのではないでしょうか。

独特のカメラワークに加えて、すべての小津作品には、底に流れる共通した死生観のようなものがあります。仏教では、むずかしく「諦観（ていかん）」と言ったりしますが、要は、この無常（→無情）

なる世を、どう耐え忍び、どう死んでいくのか、どこかに諦（あきら）めるということも必要ではないか……、この辺りの機微が、たとえば笠智衆の、あの淡々とした、しかもどこか気品のあるもの腰やもの言い、あるいは、うしろ姿の淋しさなどを通しても、みごとに描かれているわけです。『東京物語』では、実の息子や娘にまで厄介もの扱いされる、ただの老人「周吉」を演じていたのですが、にもかかわらず、あの有名なラストシーン——台本には「周吉が縁先にポツンとひとり座って遥かな海を眺めている」とある場面——、そこには、堂々のとでも形容したくなるような「諦観」が全体をおおっていたのではないでしょうか。

　下手（へた）をすれば、ただの人情ばなしになってしまうはずの筋立て——だから、それだけのことなら、今の若い人には受けないはず——の映画が、しかしながら、この「堂々の諦観」の故に、「何か、よくわかりませんが、心にびんびん来るものがあります」とか、「やはり、海のシンボリズムってすごいですねェ」といった反応を引き出すのでしょう。周囲に充満するのが、せかせかした煽りサイドのストーリーである分、鎮めサイドの異文化に接した時の新鮮な喜びを、少なくとも私は、かいま見せてもらったと考えています。

　もちろん、本当のところは、実は異文化ではないはずです。異文化どころか、小津作品の魅力は、日本人の誰しもが、心の奥底には秘めている、むしろ心の故郷（ふるさと）を照りかえしているところにこそあるのです。

近代日本に蔓延した風潮に、ながく〝マインドコントロール〟され、確かに、私たちの多くは、ここに申します「心の故郷」を見える形で、きれいに表現する能力を喪失してしまっています。でも、遺伝子情報のレベルでしょうか、あるいは〝身体性の〟とでも言うのでしょうか……、何世代も前の人びとの「心の習慣」は、どこかに刻みつけられて、その痕跡をとどめているのではないでしょうか。うまくパイプを降ろせばパッと燃えあがる油田層にも似て、伝統文化とは、むしろ若い世代において、時々に、より新鮮な「共鳴盤」を見出していくものなのかもしれません。

近代日本の「禁欲的がんばる主義」に、私たちほどには呪縛されていない外国人、そしてわが国の若い世代に、小津作品が、あらためて評価されるのも無理からぬことなのだ、と私は思います。あわせて、その「近代日本」が、もっとも軽侮し、反発すらしてきた先人の「心の習慣」が、実は、「諦観」ないし「鎮め物語」であったという点は、くり返し強調しておきたいと存じます。つまり、「近代日本」からの脱マインドコントロールには、何ほどかは、先人の知恵への回帰が含まれる、ということでもあります。

今の日本社会に何らかの幻滅を感じ、ためにオウム真理教のようなカルトにはしった若者にとって、仮に「脱マインドコントロール」したとして、その先に見出されるものが、相変わらずの、酷薄な、〝一億総中流化〟社会だとすれば……。むしろ、ぼくら多数派が、なおも呪縛されている「近代日本」こそが、問われねばならない、当のものではないのでしょうか。

吉本ばなな、ただ添うがごとく

村上春樹さんと並んで、吉本ばななさんの小説も、とくに若い女性たちによく読まれていると聞きます。『ノルウェイの森』の「ワタナベ君」のように、とりわけ記憶される主人公の名は想い浮かばないのですけれど、どの主人公をとっても似かよっているという点に、かえって「吉本ばなな」という人の個性がよく出ているのかもしれません。

『キッチン』以来、どの主人公も、ある種の霊感が働くという点では変わりがありません。おまけに、いったいどこまでが霊感の世界で、どこまでが現実の世界なのか、この境界線が意図的にぼかしてある点で、彼女の小説はいつも似た雰囲気をかもしだします。夢かうつつか、読者のほうも知らず識らず、二つの世界を往還（いきき）することになりましょう。

そして、この点は、村上春樹さんの小説とも共通しているのですが、生と死との間もなにやらにじんでしまって、通例考えられるほどの深い溝をなしてはいないのです。

確か、『ノルウェイの森』では、「死は生の対極としてあるのではなく生の一部としてある」といった（これ自体は平凡な）言葉が、わざわざ太字体になっていたと記憶します。吉本ばななさんの小説でも、生の世界に死の世界が侵入している、というよりむしろ、死のほの暗い海のなかに、危（あや）うく生の世界がただよっているといった趣きがあります。はかないいのちだから、よけいに愛しいなんて言い方をすると、センチメンタリズムになってしまって二人には怒られそうなんですが……。とにかく、うつつの側が夢の世界に浸食され、むしろ夢の世界のリアリティがうつつの側のリアリティより厚い（あるいは濃い）、そんな感じの小説が受けるというのは、それだけ若い人たちの実感にフィットしているからであろうと思われます。

ここでは、とくに吉本ばななさんの『白河夜船』をとって、私の言う鎮めサイド・ストーリーがどう造形されつつあるのか、考えておきましょう。

『白河夜船』の主人公（なぜか寺子）も、いかにも危ういリアリティに生きている若い女性です。六歳ばかり年上で、「眠ったまま病院でひっそり生きている妻」ある男性と、深い関係にあります。その妻の死を願うことだけは、自分にかたく禁じているような、そんな寺子さんなんですけれど、それでも植物人間のきわどい生（＝死）が、彼女のうつつ（＝夢）を浸食しています。彼は「まるでペン習字のようにくっきりとして美しい手紙」を書く人、私はと言えば、そんな「育ちの良さみたいなことにとても弱い」女の子なのです。

「恋人からの電話がわかる」、「寝ようと思えばいつでも寝られる」、この二つが特技なのかも、という彼女には、いつも一緒にいたいほど大切な女友達がありました。自殺してしまう「しおり」という名のこの友達と、いまは死をまつばかりの恋人の妻（彼女の若いころのおもかげ）とが、主人公の夢の中で、にじんだ二つの影のように重ねられ、うつつをおびやかし、あるいは彼女を救いだしてもいく、まァそんな筋立てになっていると思ってください。

ところで、その親友が自殺するまでの期間していたことになっているアルバイトの中身、これがとりわけ興味を惹きます。売春ではなく、男性と一夜ただ「添い寝」をすることで報酬を得ていたというのです。「ものすごくデリケートな形で傷ついて、疲れ果てている人」は、みんな「誰かただとなりに眠ってほしいものなの……」。それで、この「しおり」さんは、時折目を覚ます不特定の彼のために、水とかコーヒーとか、にっこりほほえんであげるとか、一晩中、眠らずにいろいろな気配りができるこの道のプロになろうとしました。

でも、自殺した「しおり」さんをしのんで寺子は想うのです。となりに眠ってる人の「その寝息に合わせてゆくとね、としおりは言った。その人の心の暗闇を吸いとってしまうのかも知れない……と。本当にその通りね。影のようにそのひとのとなりに眠っていると、闇を吸いとるように心を写しとってしまうのかも知れない。そうやってあなたみたいに何人もの夢を知ってしまったら、いつの間にかもう戻れないし、それが重すぎて死んでしまう他なかったのかもしれないね」と。

いかがでしょう。とくにしおりさんがしていたという「添い寝」のアルバイト、どこかで聞いたような話ではないでしょうか……。そう観音菩薩にしろ弘法大師にしろ、人の悲しさに添うがごとくといった表象は、わが民俗宗教に広くゆきわたった、その意味で集合的記憶の一定型であるわけです。私のように、親鸞聖人をめぐる伝説に親しんだものは、さらに彼が二九歳ごろに見たと伝える夢のことまで、すぐに連想してしまうほどです。

親鸞の直弟子だった真仏が筆写し、現に高田専修寺にあります『親鸞夢記』――そうですね有斐閣選書の石田瑞麿著『苦悩の親鸞』を見ていただくのがいいでしょう。一一頁にこの『夢記』の写真までつけて詳しい解説がありますから――。内容は、六角堂の救世菩薩が善信（親鸞）に告命して言われた、「行者宿報にて設ひ女犯すとも　我れ玉女の身となりて犯せ被れむ　一生の間、能く荘厳し　臨終に引導して極楽に生ぜしむ」というものです。

普通は、親鸞が、性の問題に悩んだあげく、この夢告のおかげで妻帯に踏み切ったように言われるのですが、石田瑞麿さんも言われるとおり、それはいささかご都合主義にすぎる解釈でしょう。第一、観音が妻となるという信仰は、当時、広くゆきわたっており、とくに親鸞個人の事蹟に限って云々できるたちの夢告ではなかったのです。夢のニュアンスから言っても、性の問題（→女犯）に力点があるのではなく、精神分析学にいうそれの昇華、つまり荘厳および引導こそが告命の意趣になっています。

「となりに眠っているひとの、その寝息に合わせてゆくと、その人の心の暗闇を吸いとってしまうのかもしれない」。この「しおり」さんの言葉のほうが、観音が身代わり妻になる民俗信仰の心（悲しさ）をよく伝えているのではないでしょうか……。

別のところで述べました対治と同治のことも思いあわされます。「同治」とは、やはり添うがごとくの心だからです。「対治」のように対症療法としての即効は、あるいは、期待しがたいのかもしれません。しかし誰しも、ともに泣いてくれる人がいればそれだけで鎮まるところはあります。あとで述べます遠藤周作さんの「神」は、全知全能でも裁く神でもない。むしろ弱き神、そしてただ添うがごとき神である点で、彼の信仰は、日本の観音信仰などに近いように思います。おそらく、遠藤周作氏はキリスト教の中に、ここに言う同治の心を見出すからでありましょう。

しおりさんが自殺してしまうことから、私はさらに、兵庫県で開業されたある小児精神科医のことを想います。すごく誠実な方でしたから、登校拒否にしろ何にしろ、適当なレッテルを貼り、薬を与えるだけといった治療主義（＝対治）では、決して満足されませんでした。精神の病（やまい）は、多く、本人だけでなく、彼をとりまく人間関係全体の病でもあることに、いち早く気づいておられるような方でもありました。いきおい一人ひとりへの面接時間はながくなり、患者を含む周囲の人びととの緊張感あふれる接触が続きました。

どこかで、司馬遼太郎さんも、人の愚痴を聞かされる立場ほど、人生で味わう損な役回りはないと言っておられますが、とりわけ良心的に、何とかしてあげたいと思えば思うほど、聞く側にのしかかる重圧感はたいへんなものです。誠実だったこの医者の、同治への思いは、おそらく「代受苦（だいじゅく）の菩薩」をもしのぐご苦労を強いたのでしょう。患者の精神に「添い寝」する、そのことが、まさに「その人の心の暗闇を吸いとってしまう」ことにもなったのでしょうか……。惜しいことに、自らいのちを断たれる結果になってしまいました。

『法華経』と宮沢賢治

親鸞の夢に触れて、彼が霊場にこもり、観音菩薩の霊示を得たというお話をしました。このことは、実は、親鸞が、少なくともその身体性において、法華行者の面影を色濃くひきずっている証拠の一つなのです。が、今の浄土真宗では、そういう、親鸞における『法華経』伝統の意味を正当に評価できる人はほとんどありません。いや、もっと広く、とくに「近代日本」においても、『法華経』伝統がはたした役割について、全体として評価できる歴史学者や文化人もほとんどいないのです。

本当は、『法華経』こそが日本仏教全体の、いわば母胎のような位置を占めるのですが、日蓮さんのおかげでしょうか、諸宗派がライバル意識をむき出しにするようになって以降、とくに禅や念仏教団のほうでは、法華の伝統そのものを無視するような仕儀となって、今に至っているのです。

ところが、生誕一〇〇年を機にふたたび注目されるようになった、あの宮沢賢治だけは、まさに法華行者の伝統を今に蘇生させた人物として、いよいよ名声を高めています。しかも、近代化途上に輩出した法華系の人びとが、たいてい、私の申します煽る文化（agitating culture）のほうに属しているのに対し、賢治の作品は、「鎮め物語」になっている点で、ひときわ異彩を放つものと評価できるのです。

詳しくは申せませんが、実は、『法華経』は、仏教学者が時に、〝悪魔の経典〟とさえ呼ぶことがあるような一面を、確かにもっているのです。よく言われる「大乗菩薩道」なり、「一仏乗」の理想なりが、M・ヴェーバーが言いました「禁欲のエートス」――私の申しました「禁欲的がんばる主義」――を、さらに煽る可能性を十分にもっているからです。当然、宮沢賢治も、大正時代、とくに「国柱会」と呼ばれる法華行者の運動に共鳴しているほどですから、その献身主義には「禁欲的がんばる主義」の色あいが、なくはありません。

でも、この辺がとてもむずかしいところですが、彼の実践はともかく、書いた詩や物語からは、ここで「禁欲」とは区別しました「鎮欲のエートス」なり、あるいは鎮めサイドのストーリーなりを、是非、読み込むべきですし、事実、今にも高く評価される、その点こそが最大の理由だと私は思うのです。

有名な「雨ニモマケズ」は、死後に発見されたノートに書きつけてあったものだそうですが、『法華経』に言われます「常不軽菩薩（じょうふきょうぼさつ）」のエピソードを、賢治なりに読みかえてうたったものだと言われています。まずは、渡辺宝陽師の解説（『法華経――久遠の救い――』ＮＨＫライブラリー）に借りて、この「常不軽菩薩」のことを学びましょう。

「……慢心に満ちた出家者が勢力をもっていた時代のことである。一人の真実の法を求める出家者があった。常不軽と名づけられた人である。この修行者は、出会う人ごとに在家者・出家者を問わず礼拝し、『我深く汝等を敬う。敢えて軽慢せず……』の文を口にとなえた。『私はあなたがたを深く敬い、けっして軽侮いたしません。なぜならば、あなたがたすべての人は、菩薩としての修行を実践されることによって、将来、最高の悟りを得た仏となるからであります』という誓願を率直に、たとえ相手がどのような人であろうとも語りかけたのである。……それから多くの歳月を経る間、常不軽はつねに罵りを受けたけれども、怒りの心を起すことなく、『あなたがたは仏陀になれる』と、ひたすら告げ続けたのである」。

実は、この「常不軽菩薩」こそ、釈尊の「前生での修業時代のすがたなのだ」と明かされるのが『法華経・品第二〇』の後段なのですが、賢治も、このお経を誦持するようになった自身の半生を、経文の誓願になぞらえたのでしょう。「雨ニモマケズ」には、「ミンナニデグノボートヨバレ……」の一行があります。後半だけ復唱しておきます。

「野原ノ松ノ林ノ蔭ノ　小サナ萱ブキノ小屋ニヰテ　東ニ病気ノコドモアレバ　行ッテ看病シテヤリ　西ニツカレタ母アレバ　行ッテソノ稲ノ束ヲ負ヒ　南ニ死ニソウナ人アレバ　行ッテコハガラナクテモイイトイヒ　北ニケンクヮヤソショウガアレバ　ツマラナイカラヤメロト

イヒ　ヒデリノトキハナミダヲナガシ　サムサノナツハオロオロアルキ　ミンナニデクノボートヨバレ　ホメラレモセズ　クニモサレズ　サウイフモノニ　ワタシハナリタイ」。

いかがでしょう、とくに「南に死にそうな人あれば、行って怖がらなくてもいいと言い」がすごいですよねェ。今のぼくらのように、臨死の人に向かってまで〝がんばって〟としか言えない精神とは、雲泥の差があると言わざるをえません。

植物こそ、いのちのモデル

ところで、この賢治の作品群に、（私の理解では）とりわけ「鎮めのエートス」を読み込んで再評価されているのが、作家の畑山博さんだと思います。『法華経』という以上に、「国柱会」の影響下に育くまれたのか、賢治の中にある、危うさ――煽りの部分ですが――を明確に「賢治のアキレス腱だ」と言われる畑山さんは、だから賢治は、「宗教的な精神の澱よりも」、文学表現によってこそ癒されるタイプのひとだったのだ、とおっしゃいます。

とりわけ畑山さんが、ＮＨＫ教育テレビ「人間大学」の中で、賢治は多くの作品において、動物よりも植物に一目も二目も置いている、それどころか、植物に語らせ、あんなに生き生きと行動すらさせているのは何故かと問われる辺り、私自身、ぎくりとするような示唆を与えられました。

テキストのある箇所に畑山さんは、こう書かれています。「このシリーズの初めの方で、私は、この地球上の生きものとしては、動物たちよりも植物の方が嫡子だということを言いました。動物よりも植物の方が優しいし、献身や謙虚さも上、正しい生命力も上だという意味からです。『鹿踊りのはじまり』、『かしばやしの夜』、『北守将軍と三人兄弟の医者』他、数々の作品の中で、登場者たちは、植物に一目を置いています。それが独特の賢治的世界を作っています。別の言い方をすると、〝人間や動物が植物になる法〟を一生懸命探している旅のような気もしてきます。

人間が至高の楽園を取り戻すには、人間の姿のままであってはもうだめなんだ、自らの強い意志で支えられた謙虚な変身が必要なのだ、とそれは言っているように思えます」と（人間大学テキスト『宮沢賢治〈宇宙羊水〉への旅』）。

「動物たちよりも、植物の方が、生命の嫡子」。この一言で、私自身、仏教を見る目が変わったと申しますか、目を開かれたといっても過言ではありません。たとえば、「殺生戒」と言われても、私などはつい、動物の命をとらない、という程度にしか思っていませんでしたから、まァ菜食主義ならいいのか……？というぐらいにしか考えていませんでした。が、これでは駄目。「山川草木　悉皆成仏」の句のように、仏典は、むしろ、植物の世界に共生の作法を学ぶべし、とくり返し告げていたのか……と教えられたわけです。

『法華経』を、〝悪魔の経典〟にしないためにも、この、「植物こそ生命のモデル」という視点は大切なポイントだと思います。前に申しました「常不軽」にしろ、あるいは「捨身供養」にしろ、植物からすれば日常茶飯の事柄にすぎない、いや、それらは植物の「精神生活」を人間の言葉に翻訳したもの、とすら見えてくるからです。

ふたたび畑山さんのテキストから引かせてもらいます。

「賢治にとって、植物たちが自分の足で歩けないということが、悲しくて仕方なかったのだと思います。賢治の時代にも、森を伐り、緑を壊す開発は大問題でした。そして賢治は、それを切なく思っていました。

でも、木たちは歩いて避難することが出来ない。そんな木たちのために、賢治は、夢を見てやったのではないでしょうか。（中略）

動物たちの多くは、他の種族を食い殺して生きています。でも、植物のほとんどは、そういうことはしません。互いにちがう草同士の間にはそれなりのせめぎ合いというものがあって、どの草たちが今年は勢いがいいといった違いがあります。でもそれは、互いに緑の葉汁を出し合って殺戮するというのとはちがいます。

そうしては、優しい草食動物のために黙々と食べられて、死んでゆきます。

しかも、それは無意識にされるのではない。植物に意志と呼んでもよさそうなものがあるらしいことは、多くの科学者たちが認めはじめているのです。賢治の物語の世界では、一足早く

それは認知されています。（中略）

木たちにも、身を切られるときの痛みとか、日向ぼっこの心地よさとか、おいしい養分のある方へ根を伸ばしてみる意欲とか、遠くの友だちの木が懐しいとか、怒りとか、想い出とか、そういうものが、きっとあるのではないでしょうか」。

賢治の作品群をなぞりながら、畑山さんは、仏典、とりわけ『法華経』を、こう読みなさいと、教えて下さっているようなものなのです。

そう言えば、仏教に学んで、今に「ディープ・エコロジー」を提唱するジョアンナ・メイシーが、『世界は恋人　世界はわたし』（星川淳訳、筑摩書房）の中で、「皮膚に閉じ込められた」エゴセルフを解体し、他の生き物たちやこの地球と共存できるエコセルフを創出しようと呼びかけた折、それを「自己の緑化」と名付けたことも、想いあわせておくべきでしょう。

いずれにせよ、この辺りに、「現代鎮め物語」の最良の作品群がひそんでいる、加えて、最先端にいる西洋人たちが、積極的に「東洋の叡知」に学ぼうとしている、そんなことを、〝おひざもと〟にいるはずの、ぼくらが、もっと謙虚に反省すべき時なのだろうと存じます。

意外にはかない朋の暮らし

いま頃になって遠藤周作さんの『深い河』を読みました。『沈黙』の時から、ずっと同じテーマを一貫して追求されている遠藤さんに、久しぶりにお出会いできた感じで、とても嬉しく思いました。

もともと、遠藤さんの神(ゴッド)なら、それこそ『法華経』が伝える「観音菩薩の慈悲」と、ほとんど同じじゃないかしら……と思っていた私ですが、この『深い河』では、なんと「輪廻転生」からの救いが、まともに問われ、さらに『阿弥陀経』までもが、実に効果的におかれているのに一驚しました。遠藤さんのカトリシズム（マイナス・キリスト教？）が、言ってみれば〝なんでも来い〟の境地にまで達しておられる、といった景色なのです。

こうなりますと、『生きるヒント』などに、往年の遠藤さんにも似た軽妙さを見せて下さる、われらがいい五木寛之さんにも、『蓮如』（中央公論社）とは違った、そう、もっとぼくらにも近い弱い人間を描いてもらわねばなりますまい。蓮如の身代わりになって殺されていく、あの「加助」では、まだまだ手の届かない存在のように思えるからです。

それにしても、その「加助」が蓮如を裏切ってする仕事が、賀茂川畔にうち棄てられた死体運び……。一方、『深い河』の「大津」が、教会を追い出されてする献身が、ガンジス河畔での同じような作務。しかも最後に、遠藤さんは、その「大津」と同じような作業をする「マザー・テレサの尼さんたち」に、「それしか……この世界で信じられるものがありませんもの。わたしたちは」と語らせておられるのです。阪神大震災の時も含めて、「お前ら、もっと生きている人間のために働け」とばかり、決まり文句を投げつけられてきましたぼくら、葬式仏教の担い手の側に、「それしか……この世界で信じられるものがありませんもの。わたしたちは」と言える、いったいどんな見識があるでしょうか。

もう一つ、〝魂鎮め〟ということで大いに考えさせられましたのが、初老の男「磯辺」をめぐって展開するエピソードです。亡き妻の（信じてもいない）転生の姿をもとめて、彼もまたガンジス河畔にたどりついたのですが……。遠藤さんは、こんな風に書いておられます。

「一人ぼっちになった今、磯辺は生活と人生とが根本的に違うことがやっとわかってきた。そして自分には生活のために交った他人は多かったが、人生のなかで本当にふれあった人間はたった二人、母親と妻しかいなかったことを認めざるを得なかった。

『お前』

と彼はふたたび河に呼びかけた。

『どこへ行った』

河は彼の叫びを受けとめたまま黙々と流れていく。だがその銀色の沈黙には、ある力があった。河は今日まであまたの人間の死を包みながら、それを次の世に運んだように、川原の岩に腰かけた男の人生の声も運んでいった」。

そして、この「磯辺」についても最後近く、『深い河』は、こんなしめくくりの仕方で終わっています。

「『少くとも奥さまは磯辺さんのなかに』と美津子はいたわった。『確かに転生していらっしゃいます』

磯辺は、眼をしばたたいて、うつむいた。うつむいた背中はこみ上げる悲しみを体全体で、いや人生全体で怺(こら)えているように見えた」。

そう、仕事、仕事で家庭を顧みることすらしないぼくら中年世代の男にとって、この「磯辺」が、妻の転生の姿を求めてする一連の言動ほど、身につまされるものはないのです。加えて、その「磯辺」をして「根本的に違う」と言わせる人生と生活の機微。社会学者の末席にいる者としても、ここは一番、よほどの覚悟をもって考えるべき頂門の一針でした。

そうではありませんか。私たちは、夫婦や親子の関係ですらも、しばしば「生活のため」の、たんなる交わりにしてしまっているのです。でも、よくよく考えれば、実はこれほど不思議な〝縁〟もないのです。袖ふれあう程度の、ちょっとした出会いにも、私たちの祖先は、「多生の縁」を感じとってきました。四〇億年とも推定される生命の歴史。それを想えば、どんな小さい命とのふれ合いも、あるいは四〇億年にただ一度の、文字通り「一期一会」であるのかもしれない。いや、夫婦や親子の、一見ながい交わりも、実は、ほんの一瞬のはかない縁(えにし)なのかもしれません。

残念ながら、人間の集いを、もっぱら「生活単位」としてしか見ない、今の社会学では、家族がもつ、この宗教的とも言える含意を把握することはできないでしょう。「再生産」機能とか何とか、家族は相も変わらず、社会に役立つ何ものかでないといけないように看なされているのです。

でも、どうでしょう。ホーム・チャペル（仏壇）をおき、月々にホーム・ミサ（法事）を営んでいた、私たちの祖先は、むしろ家族そのものを、一つの祈りの場にしようとはかってきたのではないでしょうか。それは、不思議の縁を喜こび、ともに生き、ともに鎮まる場所ではなかったのでしょうか。世俗的な条理では測りかねる、しかも意外にはかない朋の暮らし。家族についての、この辺りの機微が正確にとり出されるなら、その物語は、おのずと「現代鎮め物語」の最たるものになるだろうと、私には思われます。

あとがき

昨年は、阪神大震災のあと寝こんでしまった、母の死を、でも幸いなことに、自宅で看とることができました。「娑婆の縁尽きて、力なくしてをはるときに、かの土へはまゐるべきなり」を、彷彿させる淡淡とした往生でした。

そして来年は、先に往った父の、早や、三十三回忌を迎えます。こんな折、以前に出しました『死ねない時代——今、なぜ宗教か——』の時と同じ編集者の手で、本書を出せますことは、やはり〝ご縁〟の感じで、とても嬉しく思っています。

またまたご苦労をおかけした有斐閣編集部の、池 一さん、満田康子さんに篤くお礼申し上げます。また再録を快く許して下さった各出版社ならびに講演を記録して下さった皆様方にもお礼申し上げます。

一九九六年の〝お盆〟

宝塚 圓龍寺にて

大村英昭

★初出出典

講話1：慈悲の風景
『心のやすらぎ』第三十二集、ヤマヱ久野株式会社総務部、一九九三年
エッセー1：「良寛」とは誰か
「良寛ブームの創始」『春秋』一九九三年五月号、春秋社
エッセー2：私って誰？
『新版非行の社会学』一九一〜九八頁、世界思想社、一九八九年
エッセー3：「矜恃ある敗北」とイエの守り
「『矜恃ある敗北』とイエの守り」『春秋』一九九四年八・九月号、春秋社
講義1：家族、この宗教的なもの
「家族、この宗教的なもの」石川実・大村英昭・塩原勉編『ターミナル家族』八章、NTT出版、一九九三年

大村 英昭（おおむら　えいしょう）

1942年生れ。1965年京都大学文学部卒業。

現在　大阪大学人間科学部教授，放送大学客員教授。

真宗本願寺派圓龍寺16世。

主著『逸脱の社会学』（共著，新曜社），『現代人の宗教』（共編，有斐閣），『新版 非行の社会学』（世界思想社），『ポスト・モダンの親鸞』（共著，同朋舎）など。

宗教のこれから　〈有斐閣選書〉

1996年9月20日　初版第1刷発行

著　者　大　村　英　昭

発行者　江　草　忠　敬

〔101〕東京都千代田区神田神保町2-17
発行所　株式会社 有　斐　閣
電話（03）3264-1315〔編集〕
3265-6811〔営業〕
京都支店〔606〕左京区田中門前町44

印刷　精興社・製本　稲村製本

ISBN4-641-18266-3

宗教のこれから（オンデマンド版）

2002年9月24日　発行

著　者　　大村　英昭
発行者　　江草　忠敬
発行所　　株式会社有斐閣
〒101-0051　東京都千代田区神田神保町2-17
TEL03(3264)1315（編集）　03(3265)6811（営業）
URL　http://www.yuhikaku.co.jp/

印刷・製本　　株式会社　デジタルパブリッシングサービス
URL　http://www.d-pub.co.jp/

AB067

ISBN4-641-90277-1　Printed in Japan